中华人民共和国国家标准

机械通风冷却塔工艺设计规范

Code for design of cooling tower for mechanical ventilation

GB/T 50392-2016

主编部门：中国工程建设标准化协会化工分会
批准部门：中华人民共和国住房和城乡建设部
施行日期：2 0 1 7 年 4 月 1 日

中国计划出版社

2016 北 京

中华人民共和国国家标准

机械通风冷却塔工艺设计规范

GB/T 50392-2016

☆

中国计划出版社出版发行

网址：www.jhpress.com

地址：北京市西城区木樨地北里甲 11 号国宏大厦 C 座 4 层

邮政编码：100038　电话：（010）63906433（发行部）

三河富华印刷包装有限公司印刷

850mm×1168mm　1/32　4.75 印张　119 千字

2017 年 3 月第 1 版　2024 年 11 月第 2 次印刷

☆

统一书号：155182·0045

定价：29.00 元

版权所有　侵权必究

侵权举报电话：（010）63906404

如有印装质量问题，请寄本社出版部调换

中华人民共和国住房和城乡建设部公告

第 1267 号

住房城乡建设部关于发布国家标准
《机械通风冷却塔工艺设计规范》的公告

现批准《机械通风冷却塔工艺设计规范》为国家标准,编号为
GB/T 50392—2016,自 2017 年 4 月 1 日起实施。原《机械通风冷
却塔工艺设计规范》GB/T 50392—2006 同时废止。

本规范由我部标准定额研究所组织中国计划出版社出版
发行。

中华人民共和国住房和城乡建设部

2016 年 8 月 18 日

前　言

　　根据住房城乡建设部《关于印发〈2014 年工程建设标准规范制订、修订计划〉的通知》（建标〔2013〕169 号）的要求，规范编制组经广泛调查研究，认真总结实践经验，参考有关国际标准和国外先进标准，并在广泛征求意见的基础上，修订本规范。

　　本规范共分 7 章和 2 个附录，主要技术内容包括：总则、术语、基本规定、气象参数、设计计算、塔型及部件设计、环境保护等。

　　本规范修订的主要技术内容是：

　　（1）去除了不适用的条、款，增补了塔型设计与选择的条文；

　　（2）新增加了冷却塔的消雾、消噪声章节。

　　本规范由住房城乡建设部负责管理，由中国工程建设标准化协会化工分会负责日常管理，由东华工程科技股份有限公司负责具体技术内容的解释。在执行过程中如发现需要修改和补充之处，请将意见和有关资料寄交东华工程科技股份有限公司（地址：安徽省合肥市望江东路 70 号，邮政编码：230024），以供今后修订时参考。

　　本规范主编单位、参编单位、参加单位、主要起草人和主要审查人：

主 编 单 位：中国石油和化工勘察设计协会
　　　　　　东华工程科技股份有限公司
参 编 单 位：中国成达工程公司
　　　　　　中化工程沧州冷却技术有限公司
　　　　　　上海理工大学
　　　　　　江苏海鸥冷却塔股份有限公司
参 加 单 位：广州览讯科技开发有限公司

主要起草人： 韩 玲 项元红 王进友 章立新 蒋晓明
马 强 徐东溟 包冰国 彭 昕 刘婧楠
主要审查人： 赵顺安 尹 证 谭中侠 韩红琪 于 峥
胡连江 魏江波 李建国 陈良才 黄纪军
贺颂钧

目　　次

1　总　　则 …………………………………………（1）

2　术　　语 …………………………………………（2）

3　基本规定 …………………………………………（4）

　　3.1　一般规定 …………………………………（4）

　　3.2　冷却塔布置 ………………………………（5）

　　3.3　冷却塔防护 ………………………………（7）

4　气象参数 …………………………………………（9）

5　设计计算 …………………………………………（10）

　　5.1　热力计算中常用参数计算 ………………（10）

　　5.2　逆流式冷却塔工作特性 …………………（11）

　　5.3　横流式冷却塔工作特性 …………………（12）

　　5.4　热力计算 …………………………………（13）

　　5.5　阻力计算 …………………………………（13）

　　5.6　水量计算 …………………………………（16）

　　5.7　水力计算 …………………………………（17）

6　塔型及部件设计 …………………………………（21）

　　6.1　塔型 ………………………………………（21）

　　6.2　集水池 ……………………………………（22）

　　6.3　进风口 ……………………………………（22）

　　6.4　填料 ………………………………………（23）

　　6.5　配水系统 …………………………………（24）

　　6.6　收水器 ……………………………………（25）

　　6.7　风筒 ………………………………………（26）

　　6.8　风机 ………………………………………（27）

· 1 ·

7 环境保护 …………………………………………… （28）

　7.1 冷却塔消雾 …………………………………… （28）

　7.2 冷却塔消噪声 ………………………………… （29）

附录 A 横流式冷却塔冷却数中心差分近似计算法 ……… （30）

附录 B 逆流式冷却塔塔体阻力系数计算方法 ………… （33）

本规范用词说明 …………………………………………… （41）

引用标准名录 ……………………………………………… （42）

附:条文说明 ……………………………………………… （43）

Contents

1 General provisions .... (1)

2 Terms .... (2)

3 Basic requirements .... (4)

  3. 1 General requirements .... (4)

  3. 2 Layout of cooling tower .... (5)

  3. 3 Prevention and protection for cooling tower .... (7)

4 Determination of meteorological parameters .... (9)

5 Design calculations .... (10)

  5. 1 Calculation of commonly used thermodynamic

      parameters .... (10)

  5. 2 Counter-flow cooling tower characteristics .... (11)

  5. 3 Cross-flow cooling tower characteristics .... (12)

  5. 4 Design point calculation .... (13)

  5. 5 Resistance calculation .... (13)

  5. 6 Calculation of capacity .... (16)

  5. 7 Hydraulic calculation .... (17)

6 Selection of tower type and components .... (21)

  6. 1 Selection of tower type .... (21)

  6. 2 Cooling water basin .... (22)

  6. 3 Air inlet .... (22)

  6. 4 Fill .... (23)

  6. 5 Water distribution system .... (24)

  6. 6 Eliminators .... (25)

  6. 7 Cylinders .... (26)

6. 8　Fan system ……………………………………………… (27)

7　Environmental protection ……………………………… (28)

7. 1　Anti-fogging measures of cooling tower ………………… (28)

7. 2　Anti-noise measures of cooling tower ………………… (29)

Appendix A　Central difference approximate calculation
method on characteristics of cross-flow
cooling tower ………………………………… (30)

Appendix B　Calculation method of counter-flow cooling
tower body resistance coefficient ………… (33)

Explanation of wording in this code ……………………… (41)

List of quoted standards …………………………………… (42)

Addition:Explanation of provisions ……………………… (43)

1 总 则

1.0.1 为规范机械通风冷却塔工艺设计,做到技术先进、经济合理、节能环保,制定本规范。

1.0.2 本规范适用于工业企业新建、改建和扩建中开式机械通风冷却塔的工艺设计。

1.0.3 机械通风冷却塔工艺设计除应符合本规范外,尚应符合国家现行有关标准的规定。

2 术　语

2.0.1　冷却塔　cooling tower

把冷却水的热量传给大气的设备、装置或构筑物。

2.0.2　开式冷却塔　opened cycle cooling tower

冷却水与空气直接接触的冷却塔。

2.0.3　闭式冷却塔　closed cycle cooling tower

冷却水与空气不直接接触的冷却塔,包括干式、湿式、干湿复合式闭式冷却塔。

2.0.4　淋水密度　water loading

填料区域水平投影面单位时间和单位面积上的喷淋水量。

2.0.5　气象参数　meteorological parameters

冷却塔设计时采用的大气压力、干球温度、湿球温度、相对湿度、自然风向和风速。

2.0.6　逼近度　approach

冷却塔的出水温度与进塔空气湿球温度之差值。

2.0.7　水温差　range

冷却塔进水温度与出水温度之差值。

2.0.8　气水比　mass ratio of dry air and water through cooling tower

进入冷却塔的干空气与冷却水的质量流量之比,以 λ 表示。

2.0.9　任务曲线　demand curve

在设计气象参数、进出塔水温一定的条件下,由不同的气水比 λ 计算出的一组冷却数 Ω ,表示为 Ω 和气水比 λ 的关系曲线 $[\Omega = f(\lambda)]$,在双对数坐标上为 Ω 随 λ 增大而降低的曲线。

2.0.10　冷却塔(填料)热力特性曲线　characteristic curve

・2・

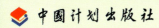

重磅福利

购买纸质标准规范

免费阅读电子版

活动长期有效

凡购买我社正版纸质标准规范，均可兑换"工标库"会员权限，免费阅读标准规范电子版！

微信扫码
查看兑换详情

中国计划出版社

兑换方式

购买纸质标准规范

活动长期有效

关注"工标库"微信公众号→

微信扫码
关注工标库

点击菜单栏"我的服务"→
选择"开通会员"（新用户需注册）→
点击"邀请码兑换"

刮开纸书封面上防伪标图层，
露出 20 位防伪数字→
输入 20 位防伪数字兑换

（有效期自开通起 3 个月）

防伪标样例

冷却塔（填料）散热性能特性数 Ω' 与气水比 λ 的关系曲线 $[\Omega' = f(\lambda)]$，在双对数坐标上为 Ω' 随 λ 增大而增大的直线。

2.0.11　阻力特性　resistance characteristic

冷却塔塔体及部件对空气流产生的阻力,阻力值为风速和淋水密度的函数,符合特定函数关系。

2.0.12　羽雾　plume

冷却塔排出的湿热空气与冷却塔内外的冷空气接触后,在风筒出口产生的可见水雾。

2.0.13　回流　recirculation

冷却塔的进塔空气中混入了一部分本塔或塔排排出的湿热空气的现象。

2.0.14　干扰　influence

冷却塔的进塔空气中混入了一部分其他冷却塔或塔排排出的湿热空气的现象。

3 基 本 规 定

3.1 一 般 规 定

3.1.1 冷却塔设计应根据生产工艺和气象条件,进行多方案比较。

3.1.2 冷却塔的大、中、小型界限宜按下列规定划分:

    1 大型:单格冷却水量不小于 $3000m^3/h$;

    2 中型:单格冷却水量小于 $3000m^3/h$ 且不小于 $1000m^3/h$;

    3 小型:单格冷却水量小于 $1000m^3/h$。

3.1.3 冷却塔应按下列要求采取优化空气流场的措施:

    1 横流式冷却塔填料顶部至风机吸入段下缘的高度不宜小于风机直径的 20%。

    2 横流式冷却塔的淋水填料从顶部至底部应有向塔的垂直中轴线的收缩倾角。点滴式淋水填料的收缩倾角宜为 $9°\sim11°$,薄膜式淋水填料的收缩倾角宜为 $5°\sim6°$。

    3 横流式冷却塔应设置防止空气从填料底至集水池水面间短路的措施。

    4 逆流式冷却塔填料顶面至风筒进口之间气流收缩段的高度宜符合下列规定:

        1)当塔顶盖板为平顶时,从填料顶面算起的气流收缩段顶角宜小于 $90°$;当平顶盖板下设有导流圈(伞)时,从收水器顶面算起的气流收缩段顶角宜为 $90°\sim110°$;

        2)当塔顶盖板自收水器以上为收缩型时,收缩段盖板的顶角宜为 $90°\sim110°$。

    5 双侧进风的逆流式冷却塔应设中部挡风隔板,隔板上缘紧贴填料支撑梁底,下缘宜伸入集水池水面以下 $200mm\sim300mm$。

3.1.4 逆流式冷却塔的淋水密度和塔内风速宜按下列规定范围取值,寒冷地区淋水密度宜取大值:

    1 大、中型冷却塔:淋水密度宜为 10 m³/(m²·h)～16m³/(m²·h),塔内风速宜为 2.0m/s～2.5m/s;

    2 小型冷却塔:淋水密度宜为 12m³/(m²·h)～16m³/(m²·h),塔内风速宜为 2.0m/s～2.5m/s。

3.1.5 逆流式冷却塔填料支撑梁、柱的投影面积不宜超过冷却塔横截面积的 20%。

3.1.6 横流式冷却塔的淋水密度与进风口风速宜按下列规定范围取值:

    1 进风口的平均风速宜取 1.8m/s～3.3m/s;

    2 点滴式或点滴、薄膜混装式填料的淋水密度宜为 20m³/(m²·h)～26m³/(m²·h);

    3 薄膜式填料的淋水密度宜为 26m³/(m²·h)～50m³/(m²·h)。

3.2 冷却塔布置

3.2.1 冷却塔塔排布置与主导风向的关系宜符合下列规定:

    1 单侧进风的冷却塔,进风口宜面向夏季主导风向;

    2 双侧进风的冷却塔,塔排的长轴宜平行于夏季主导风向。

3.2.2 单格冷却塔,塔平面宜为正方形,当场地限制,需要采用长方形冷却塔时,长方形平面的长宽比不宜大于 4:3,并且进风口宜设在矩形的长边。

3.2.3 冷却塔宜单排布置,塔排的长宽比宜符合下列规定:

    1 大、中型冷却塔,塔排的长宽比宜为 3:1～5:1;

    2 小型冷却塔,塔排的长宽比宜为 4:1～5:1。

3.2.4 考虑回流影响时,设计湿球温度的修正宜按下式计算:

$$\tau_1 = \tau_0 + \frac{kQ}{8150 + 0.622Q} \qquad (3.2.4)$$

式中:τ_1——修正后的设计湿球温度(℃);

τ_0——原始设计湿球温度(℃);

Q——塔排冷却水量(m³/h);

k——逼近度与水温差的修正系数,可通过表3.2.4查取。

表 3.2.4 逼近度与水温差修正系数 k

逼近度 (℃)	水温差(℃)						
	8	10	12	14	16	18	20
3	0.62	0.74	0.86	0.98	1.10	1.22	1.34
4	0.69	0.82	0.95	1.09	1.21	1.34	1.52
5	0.73	0.89	1.03	1.17	1.30	1.45	1.64
6	0.76	0.92	1.07	1.21	1.36	1.51	1.71
7	0.81	0.98	1.14	1.28	1.44	1.59	1.79
8	0.85	1.03	1.20	1.34	1.50	1.66	1.86
9	0.90	1.08	1.25	1.40	1.56	1.72	1.92
10	0.94	1.12	1.29	1.45	1.61	1.77	1.99
11	0.96	1.14	1.31	1.47	1.63	1.80	2.02
12	0.99	1.18	1.35	1.51	1.68	1.85	2.08
13	1.02	1.21	1.38	1.55	1.72	1.90	2.12

注:中间值由线性插入法计算。

3.2.5 多排布置的逆流式冷却塔的塔排间距应符合下列规定:

1 长轴位于同一直线上的相邻塔排,净距不应小于4m;

2 长轴不在同一直线上、平行布置的相邻塔排,塔排间距不应小于塔的进风口高度的4倍。

3.2.6 多排布置的冷却塔,当相邻塔排的间距小于塔排平均长度时,设计湿球温度的修正宜符合本规范第3.2.4条的规定。冷却水量应取两塔排的冷却水量之和,逼近度和水温差应取组合后修正值 k 较大者。

3.2.7 大型冷却塔塔群的回流与干扰影响的修正,宜通过流场数字模拟实验或根据实际工程经验确定。

3.2.8 当需要用围护板屏蔽冷却塔时,应保证冷却塔与屏蔽装置之间气流畅通。冷却塔进风口侧与其他建筑物的净距不应小于塔的进风口高度的2倍。

3.2.9 冷却塔的位置宜靠近主要用水装置,其布置应符合下列规定:

    1 应布置在厂区主要建筑物及露天配电装置的冬季主导风向的下风侧,并留有适当间距;

    2 应布置在贮煤场等粉尘影响源的全年主导风向的上风侧;

    3 应远离厂内露天热源;

    4 冷却塔进风口侧的建(构)筑物不应影响冷却塔的通风,塔排中间布置构筑物或大型设备时,进风口与构筑物或大型设备的距离不宜小于进风口高度的2倍;

    5 宜避免冷却塔的羽雾对周围环境及生产装置的影响;

    6 宜避免冷却塔的噪声对敏感区域的影响;

    7 应布置在爆炸危险区域以外,当不能避免时,驱动风机的电机应选用防爆电机,同时布置在防爆区域内的电气、仪表应采用防爆设备。

3.3 冷却塔防护

3.3.1 寒冷地区的冷却塔应按下列要求采取防冻措施:

    1 应在进风口设置防止水滴外溅的设施;

    2 当同一循环冷却水系统冷却塔的数量较多时,宜减少运行冷却塔数量,停止运行的冷却塔的集水池应保持一定量热水循环或采取其他保温措施;

    3 可采用减小风机叶片安装角、停止部分风机运行、选用允许倒转的风机等措施;

    4 在进风口上下缘及易结冰部位设热水化冰管,化冰管的热水流量应与防冻化冰要求相适应;

    5 设置能通过部分或全部循环水量的旁路水管,当冬季运行

或热负荷较低时,循环水可通过旁路直接进入集水池;

6 冬季可在进风口加挡风板。

3.3.2 冷却塔应按下列要求设置安全设施:

1 应设置通向塔顶平台、淋水填料的梯子;

2 风筒应有向外开启的检修门;

3 塔内应有检修平台、走道,并应有安全护栏;平台、走道、护栏的材质应防腐蚀或采用耐腐蚀材质,并应符合相关安全规定;

4 塔顶应有避雷装置、接地设施和照明设施。

3.3.3 当环境对冷却塔的噪声有限制时,应根据工程具体条件,采取降低冷却塔噪声的措施。

3.3.4 含有腐蚀性污染物的冷却水系统,冷却塔塔体内壁、配水设施、淋水填料和收水器安装的紧固件等应采取相应的防腐措施。集水池宜根据水质情况及相关标准进行防腐、防渗处理。

3.3.5 采用聚合物或其复合材料制成的冷却塔的塔体结构、围护结构、填料、配水系统、收水器、喷头、风筒等部件应具有抗光氧老化、抗湿热老化的性能。

3.3.6 冷却塔中采用的淋水填料、收水器、喷头等塑料材质的强度、刚度、耐热性、耐低温性等物理力学性能,应符合现行行业标准《冷却塔塑料部件技术条件》DL/T 742 的有关规定,复合材料结构件应符合现行国家标准《结构用纤维增强复合材料拉挤型材》GB/T 31539 的有关规定。

3.3.7 寒冷地区的冷却塔宜采取消雾措施。

3.3.8 缺水地区的冷却塔宜采用节水措施。

3.3.9 多风沙地区的冷却塔应有防风沙措施。

4 气 象 参 数

4.0.1 冷却塔设计的气象参数,应取能代表冷却塔所在地气象特征的气象台(站)的气象资料。

4.0.2 气象参数的统计宜采用近期连续不少于 5 年中的每年最热时期 3 个月的日平均值。

4.0.3 气象参数宜取一昼夜 4 次标准时间测值的算术平均值作为日平均值。

4.0.4 冷却塔的设计湿球温度宜采用当地多年平均、每年最热时期 3 个月中最热天数不超过 5d～10d 的日平均湿球温度,并以与之相对应的日平均干球温度、大气压作为设计参数。

4.0.5 当收集到的气象资料没有湿球温度时,湿球温度应根据干球温度、相对湿度和大气压按本规范式(5.1.2)计算,或用国家气象局编制的《湿度查算表》查算到阿斯曼湿球温度。

5 设 计 计 算

5.1 热力计算中常用参数计算

5.1.1 饱和水蒸气压力应按下式计算：

$$\lg p'' = 2.0057173 - 3.142305 \left(\frac{10^3}{273.15+t} - \frac{10^3}{373.15} \right) +$$

$$8.2 \lg \frac{373.15}{273.15+t} - 0.0024804(100-t) \qquad (5.1.1)$$

式中：p''——饱和水蒸气压力(kPa)；

t——温度(℃)。

5.1.2 空气相对湿度宜按下式计算：

$$\varphi = \frac{p''_\tau - 0.000662 p(\theta - \tau)}{p''_\theta} \qquad (5.1.2)$$

式中：φ——空气相对湿度；

θ——空气干球温度(℃)；

τ——空气湿球温度(℃)；

p——大气压力(kPa)；

p''_θ——空气温度等于θ℃时的饱和水蒸气分压力(kPa)；

p''_τ——空气温度等于τ℃时的饱和水蒸气分压力(kPa)。

5.1.3 空气含湿量宜按下式计算：

$$x = 0.622 \frac{\varphi p''_\theta}{p - \varphi p''_\theta} \qquad (5.1.3)$$

式中：x——空气含湿量[kg/kg(干空气)]。

5.1.4 湿空气比焓(简称空气焓)应按下式计算：

$$h = 1.005\theta + x(2500.8 + 1.846\theta) \qquad (5.1.4)$$

式中：h——湿空气比焓[kJ/kg(干空气)]。

5.1.5 饱和空气比焓(简称饱和空气焓)应按下式计算：

· 10 ·

$$h'' = 1.005t + 0.622 \frac{p''}{p - p''}(2500.8 + 1.846t) \quad (5.1.5)$$

式中：h''——饱和空气比焓，即当空气温度为水蒸气分压达到饱和状态温度 t 时的比焓[kJ/kg(干空气)]。

5.1.6 湿空气密度应按下式计算：

$$\rho = \rho_d + \rho_s = \frac{(p - \varphi p''_\theta) \times 10^3}{287.04(273.15 + \theta)} + \frac{\varphi p''_\theta \times 10^3}{416.50(273.15 + \theta)}$$

$$(5.1.6)$$

式中：ρ——湿空气密度(kg/m³)；

ρ_d——湿空气中干空气部分的密度(kg/m³)；

ρ_s——湿空气中水蒸气部分的密度(kg/m³)。

5.2 逆流式冷却塔工作特性

5.2.1 逆流式冷却塔工作特性冷却数的热力计算宜采用焓差法，冷却数可按下列公式计算：

$$\Omega_n = \frac{K k_a V}{Q} = \int_{t_2}^{t_1} \frac{C_w dt}{h'' - h} \quad (5.2.1-1)$$

$$h = h_1 + \frac{C_w dt}{K\lambda} \quad (5.2.1-2)$$

$$K = 1 - \frac{C_w t_2}{r_{t_2}} = 1 - \frac{t_2}{586 - 0.56(t_2 - 20)} \quad (5.2.1-3)$$

式中：Ω_n——逆流式冷却塔工作特性冷却数(无量纲)；

K——蒸发水量带走热量系数($K < 1.0$，无量纲)；

k_a——以焓差为动力的容积散热系数[kg/(m³·h)]；

V——淋水填料体积(m³)；

Q——冷却水量(kg/h)；

h_1——进填料空气的比焓[kJ/kg(干空气)]；

h——出微元填料空气的比焓[kJ/kg(干空气)]；

dt——微元填料进水与出水的水温差(℃)；

λ——进填料的空气(以干空气计)与水的质量比(kg[干

空气]/kg);

C_w——水的比热,取 4.1868 kJ/(kg·℃);

t_1——进填料(塔)水温(℃);

t_2——出填料(塔)水温(℃);

r_{t_2}——出填料水温时水的汽化热(kJ/kg)。

5.2.2 冷却数积分部分的计算可采用切比雪夫四点积分法、多段辛普逊积分解法。冷却数计算时的积分分段数应与填料实验数据整理计算分段数一致。

5.3 横流式冷却塔工作特性

5.3.1 横流式冷却塔冷却数的热力计算宜采用焓差法,冷却数可按下式计算:

$$\Omega_h = \frac{Kk_a H}{q} = \int_0^{z_d} \int_0^{x_d} \frac{-C_w \partial(\partial t/\partial x)/\partial z}{h'' - h} \mathrm{d}x\mathrm{d}z$$

(5.3.1)

式中:Ω_h——横流式冷却塔冷却数;

x_d——从进风口算起淋水填料深度(m);

z_d——从淋水填料顶层表面向下算起的填料高度(m);

q——淋水密度[kg/(m²·h)];

H——填料高度(m)。

5.3.2 横流塔冷却数的计算宜符合下列规定:

1 单格水量小于 3000m³/h,水温差为 6℃～15℃的中、小型横流式冷却塔可采用修正系数法,宜按下列公式计算:

$$\Omega_h = \frac{\Omega_n}{F_0}$$

(5.3.2-1)

$$F_0 = 1 - 0.106\left(1 - \frac{h_2'' - h_2}{h_1'' - h_1}\right)^{3.5}$$

(5.3.2-2)

式中:F_0——修正系数;

Ω_n——按逆流式冷却数计算公式计算出的冷却数。

2 单格水量大于 3000m³/h,水温差为 6℃～15℃的大型横

· 12 ·

流式冷却塔宜采用经过鉴定的计算机软件程序计算,条件不具备时可采用本规范附录 A 中心差分法,按下式计算:

$$\frac{C_w \partial t}{K \partial z} z_d = -\lambda \frac{\partial h}{\partial x} x_d = -\Omega'_h (h'' - h) \qquad (5.3.2\text{-}3)$$

3 水温差大于 15℃的大、中、小型冷却塔和新开发的横流式冷却塔宜采用经过鉴定的计算机软件程序计算。

5.4 热 力 计 算

5.4.1 热力工作点气水比的确定可采用试算法或作图法,求取塔(填料)的热力特性曲线与塔的任务曲线的交点处的气水比。填料的热力特性曲线与冷却塔的任务曲线计算公式的条件应一致。

5.4.2 采用填料热力特性公式 $\Omega = A\lambda^m$ 时,应对填料实验资料整理中 Ω 的计算公式进行比较,若所采用的公式不同,应进行修正。

5.4.3 设计工况宜与填料实验的工况相同或接近,否则应对填料的热力特性公式 $\Omega = A\lambda^m$ 进行修正。

5.4.4 冷却水质如与填料实验条件差别较大时,应对计算结果进行修正。

5.5 阻 力 计 算

5.5.1 冷却塔的通风阻力计算,宜采用原型塔的实测数据换算成总阻力系数,并按总阻力系数法进行计算。

5.5.2 当缺乏原型塔的实测数据时,可按经验和通风工程理论计算方法,采用分步计算迭加求出塔体总阻力系数,并按下式中的总阻力系数法进行计算:

$$\Delta P_1 = \sum_{i=1}^{n} \frac{1}{2} \xi_i \rho_i v_i^2 = A_1 \rho_1 v_m^2 \qquad (5.5.2)$$

式中:ΔP_1 ——塔体的通风总阻力(Pa);

ρ_1 —— 进塔湿空气密度(kg/m^3)；

v_m —— 填料断面的平均风速(m/s)，$v_m = G_1/(3600F_m)$；

A_1 —— 塔体总阻力系数 $A_1 = \dfrac{1}{2}\sum\limits_{i=1}^{n}[\xi_i]$，计算方法见本规范附录 A；

n —— 阻力部位的总数；

ρ_i —— i 部位的湿空气密度(kg/m^3)；

v_i —— i 部位的计算空气流速(m/s)；

ξ_i —— i 部位的阻力系数；

$[\xi_i]$ —— 将 ξ_i 从以 ρ_i、v_i 计修正到以 ρ_1、v_m 计的阻力系数；

F_m —— 填料区计算面积(m^2)；

G_1 —— 进塔风量(m^3/h)。

5.5.3 填料阻力宜采用原型塔的实测数据，换算成填料阻力系数，按下式计算：

$$\frac{\Delta P_2}{\rho_1} = A_2 v_m^m \tag{5.5.3}$$

式中：ΔP_2 —— 填料通风阻力(Pa)；

v_m —— 通过填料的风速(m/s)；

A_2、m —— 系数，由实验资料整理后给出 $A_2 = f(q)$、$m = f(q)$ 进行计算。

5.5.4 塔的总阻力宜按下式计算：

$$\Delta P = K_T \Delta P_1 + K_m \Delta P_2 \tag{5.5.4}$$

式中：ΔP —— 塔的总阻力(Pa)；

K_T —— 塔体阻力调整系数，视 A_1 的实测数据或计算条件与该工程塔设计条件的差异程度以及计算精度确定，宜取 1.0～1.2；

K_m —— 填料阻力性能修正系数，即填料实验模拟塔与工程塔之间安装状况不同的阻力调整系数，宜取1.0～1.2。

5.5.5 设计进塔风量应按阻力与风压相平衡的原则确定，计算方

· 14 ·

法宜采取先将塔的阻力特性曲线 ΔP-G_1 换算到与风机性能曲线气体状态相同,即 $\rho = 1.2\text{kg/m}^3$ 条件下的 H_0'-G_0' 曲线,再通过 H_0'-G_0' 曲线与制造厂提供的风机标准曲线 H_0-G_0 求交点的方法。

鼓风式风机的风压、风量换算应按下列公式计算:

$$H_0' = \frac{1.2}{\rho_1}\Delta P \qquad (5.5.5\text{-}1)$$

$$G_0' = G_1 \qquad (5.5.5\text{-}2)$$

抽风式风机的风压、风量换算应按下列公式计算:

$$H_0' = \frac{1.2}{\rho_2}\Delta P \qquad (5.5.5\text{-}3)$$

$$G_0' = G_2 = \frac{\rho_{1d}}{\rho_{2d}}G_1 \qquad (5.5.5\text{-}4)$$

式中:H_0'——换算到与风机标准状态($\rho = 1.2\text{kg/m}^3$)相同时的当量阻力(Pa);

$\qquad G_0'$——换算到与风机标准状态($\rho = 1.2\text{kg/m}^3$)相同时的当量风量(m^3/h);

$\qquad \rho_1$——进塔湿空气密度(kg/m^3);

$\qquad \rho_2$——出塔湿空气密度(kg/m^3);

ρ_{1d}、ρ_{2d}——进塔、出塔湿空气中干空气部分的密度[kg/kg(干空气)];

G_1、G_2——进塔、出塔风量(m^3/h)。

5.5.6 当用风机选型软件采用静压选择风机时,应考虑风速不均匀对动压的影响,且应按平均风速计算动压,应对动压进行修正,修正系数宜取 $1.1\sim1.2$。

5.5.7 出塔湿空气密度计算宜采用下列方法:

1 设定若干个出塔空气干球温度 θ_2,令湿球温度 $\tau_2 = \theta_2 - (0\sim0.3)℃$,计算其空气焓 h_2,当其与热力计算设计工作点 λ_0 的 h_2 相同时,用该组温度(θ_2、τ_2)代入式(5.1.6)计算出塔湿空气密度 ρ_2。

· 15 ·

2 设定 θ_2 数值时可按下式计算：

$$\theta_2 = \theta_1 + (t_m - \theta_1)\frac{h_2 - h_1}{h_m - h_1} \qquad (5.5.7)$$

式中：θ_1、θ_2 ——进塔、出塔空气干球温度（℃）；

      t_m ——进出塔的平均水温（℃）；

      h_m ——温度为 t_m 时的饱和空气比焓[kJ/kg（干空气）]；

      h_1 ——进填料空气的比焓[kJ/kg（干空气）]；

      h_2 ——出填料空气的比焓[kJ/kg（干空气）]。

5.6 水 量 计 算

5.6.1 冷却塔设计水量宜按下式计算：

$$Q = K_Q \frac{G_1 \rho_{1d}}{1000\lambda_0} \qquad (5.6.1)$$

式中：Q ——设计进塔水量（m³/h）；

    G_1 ——设计进塔风量（m³/h）；

    ρ_{1d} ——进塔空气中干空气密度[kg（干空气）/m³]；

    λ_0 ——塔的设计气水比；

    K_Q ——调整系数。冷却水中的油、杂物等对冷却效果有明显影响时，可根据实塔使用经验，选取小于 1.0 的系数，对常规清水塔，$K_Q = 1.0$。

5.6.2 冷却塔的蒸发损失水量宜按下列公式计算：

$$Q_e = \frac{P_e Q}{100} \qquad (5.6.2\text{-}1)$$

$$P_e = K_e \Delta t \qquad (5.6.2\text{-}2)$$

式中：Q_e ——蒸发损失水量（m³/h）；

    P_e ——蒸发水量损失水率（%）；

    Δt ——冷却塔进水与出水温度差（℃）；

    K_e ——蒸发水量损失系数（1/℃），按表 5.6.2 选用，中间值按内插法计算。

表 5.6.2 系数 K_e

进塔空气干球温度(℃)	−10	0	10	20	30	40
K_e (1/℃)	0.08	0.10	0.12	0.14	0.15	0.16

5.6.3 冷却塔的风吹损失水量宜按下式计算：

$$Q_w = \frac{P_w Q}{100} \qquad (5.6.3)$$

式中：Q_w ——风吹损失水量(m^3/h)；

P_w ——收水器与进风口的风吹损失百分率，当缺乏测试数据时取 0.01%。

5.6.4 节水型冷却塔宜以没有热负荷变化时的年平均节水率作为考核指标，节水型冷却塔年平均节约水量宜采用下式计算：

$$Q_J = (x_{1C} - x_{1J}) - (x_{2C} - x_{2J}) \qquad (5.6.4)$$

式中：Q_J ——节约蒸发水量，节水型冷却塔与常规湿式冷却塔相比节约的蒸发水量(kg/h)；

x_{1J} ——常规湿式冷却塔进塔空气中水蒸气含量(kg/h)；

x_{1C} ——常规湿式冷却塔出塔空气中水蒸气含量(kg/h)；

x_{2J} ——节水型冷却塔进塔空气中水蒸气含量(kg/h)；

x_{2C} ——节水型冷却塔出塔空气中水蒸气含量(kg/h)。

5.7 水 力 计 算

5.7.1 当以集水池池顶为计算进塔水压的交接点时，进塔水压力宜按下式计算：

$$P_{sc} = P_{s0} + 9.81 \Delta H + \Delta P_s \qquad (5.7.1)$$

式中：P_{sc} ——配水管进塔水压(kPa)；

P_{s0} ——配水水平主干管起端水压(kPa)；

ΔP_s ——池顶以上立管沿程与局部阻力(含三通分流)水力损失(kPa)；

ΔH ——水平干管中心标高至池顶的标高高差(m)。

5.7.2 当水平主干管上并联数根支干管时,水平配水支干管起点
(入口)水压宜按下式计算:

$$P_{s1} = P_{s0} - 9.81\sum i_a l_a - \sum \Delta h_a \qquad (5.7.2\text{-}1)$$

式中:P_{s1}——配水水平支干管进水端水压(kPa);

$\sum \Delta h_a$——水平主干管起点至支干管起点(入口)之间的各个
局部阻力损失总和(kPa);

$9.81\sum i_a l_a$——水平主干管起点至支干管之间各段直管的沿程水
力损失总和(kPa)。

当管道材质为钢管时,沿程水力损失坡度 i 可按下列公式
计算:

当 $v < 1.2\text{m/s}$ 时:

$$i = 0.000912\left(1 + \frac{0.867}{v}\right)^{0.3} v^2 / d^{1.3} \qquad (5.7.2\text{-}2)$$

当 $v \geqslant 1.2\text{m/s}$ 时:

$$i = 0.00107 v^2 / d^{1.3} \qquad (5.7.2\text{-}3)$$

式中:d——管道内径(m);

v——水流速度(m/s)。

5.7.3 当水平支干管的结构形式为等径直管上等距布置若干个
支管,支管尺寸形状相同,末端安装喷溅装置(喷头)时,喷溅装置
的有效进水压力宜按下式计算:

$$P_{0m} = P_{s1} - 9.81[i_1 l_1 + (i_2 + i_3 + i_4 + \cdots + i_m)l] -$$

$$0.175(m-1)\left(\frac{v_0}{n}\right)^2 - 0.5\varepsilon(v_m^2 + v_f^2) -$$

$$\sum \Delta h_f + 9.81(\nabla_0 - \nabla_m) \qquad (5.7.3\text{-}1)$$

式中: P_{0m}——喷溅装置(支管编号为 m)有效进水压力
(水头)(kPa);

i_1、i_2、i_3、i_4、$\cdots$、i_m——支干管起点至支管间第 1、2、3、4、$\cdots$、m 段
的支干管直管段的沿程损失水力坡度;

l_1、l——干支管第 1 段、第(2、$\cdots$、m)的各段长

· 18 ·

度（m）；

v_0、v_m、v_f —— 支干管起始段水流速、编号为 m 的支管三通前水流速、支管在三通处（分流）的支管流速（m/s）；

$\sum \Delta h_f$ —— 支管的水力损失总和（包括沿程及局部阻力损失）（kPa）；

$(\nabla_0 - \nabla_m)$ —— 支干管始端中心标高至支管编号为 m 的喷嘴出口（下口）之间的标高之差（m）；

n、m —— 支管的总数、编号顺序数，从支干管始端顺序编号 $1、2、\cdots、n$；

ε —— 三通分流支管的阻力系数（侧流）。

式中 ε 的值取决于面积比与流量比，应按下列公式计算：

当 $\dfrac{f}{F} \leqslant 0.35$ 且 $\dfrac{q_f}{Q_m} \leqslant 0.4$ 时：

$$\varepsilon = 1.1 - 0.7\frac{q_f}{Q_m} \qquad (5.7.3-2)$$

而当 $\dfrac{q_f}{Q_m} > 0.4$ 时：

$$\varepsilon = 0.85 \qquad (5.7.3-3)$$

当 $\dfrac{f}{F} > 0.35$ 且 $\dfrac{q_f}{Q_m} \leqslant 0.6$ 时：

$$\varepsilon = 1 - 0.65\frac{q_f}{Q_m} \qquad (5.7.3-4)$$

而当 $\dfrac{q_f}{Q_m} > 0.6$ 时：

$$\varepsilon = 0.6 \qquad (5.7.3-5)$$

式中：f、F —— 支管、支干管的断面积（m^2）；

q_f、Q_m —— 支管、支干管（编号为 m 的）三通分流前的流量（m^3/h）。

5.7.4 喷溅装置（喷头）的流量宜按下式计算：

· 19 ·

$$q_m = 3600 \times \frac{\pi}{4}\phi^2 \times \mu \sqrt{2P_{0m}} = 3999\phi^2 \mu \left(P_{0m}\right)^{0.5}$$

(5.7.4)

式中：q_m ——顺序号为 m 的喷溅装置(喷头)喷水量(m^3/h)；

ϕ ——喷溅装置(喷头)喷嘴出口的直径(m)；

μ ——流量系数，由实验得出。该系数与池式实验装置喷头直接与配水池底相连得到的流量系数 μ 相当，而与管式配水实验装置给出的包含短管及三通分流阻力在内的流量系数值有差别。

5.7.5 水量、水压计算宜用试算法，并应符合下列规定：

1 应根据总水量及管网布置条件确定喷头数目及单个喷嘴喷水量 q_{m0}。

2 应按每个支干管上布置的喷嘴数计算各个支干管的始端进水流量。

3 假定一个 P_{s0} 值，应按本规范式(5.7.2-1)计算 P_{s1} 值。

4 应按本规范(5.7.3-1)及式(5.7.4)计算出某一根支干管上各个喷头的喷水量 q_m 及支干管入口的计算流量。

5 累计各个支干管的流量与设计总水量进行比较后，应调整(第二次)假定的 P_{s0} 值，重新计算，直至流量相同或非常接近。

6 应由计算得到的各喷头流量计算出各支干管入口流量，进一步调整主干管各管段的计算流量和阻力损失，同时调整(第三次)P_{s0} 值，重复计算，直至喷嘴累计流量与设计总水量相同，主干管各管段设定流量与计算结果的流量相等或非常接近。

7 应检查各个喷嘴的喷水量与平均喷水量的差值是否在允许范围内，当差值过大时，则应修改管网的有关结构尺寸，并重新计算。

6 塔型及部件设计

6.1 塔 型

6.1.1 冷却塔塔型的选择,宜根据冷却水量、水温差(t_1-t_2)、逼近度$(t_2-\tau)$、冷却水水质、运行方式、可供布置冷却塔空间的大小、施工条件、周围环境要求、当地气候特点、水资源和电力供应条件等,通过技术经济比较后确定。

6.1.2 当工艺要求循环冷却水为洁净水或北方对全年运行总水耗控制要求较高的循环冷却水系统,可选用闭式冷却塔。

6.1.3 新建循环冷却水系统不宜采用水轮机驱动风机的冷却塔。

6.1.4 冷却塔可不设备用。

6.1.5 开式冷却塔塔型选择应符合下列规定:

    1 逼近度$(t_2-\tau)\leqslant4℃$时,宜采用逆流式冷却塔;

    2 逼近度$(t_2-\tau)>4℃$时,可对横流式或逆流式冷却塔比较后确定。

6.1.6 当噪声控制要求高,水质较差、水量变化大时,可选用横流式冷却塔。

6.1.7 对进风条件差、地下隐蔽工程、冷却水中含有腐蚀介质的系统,宜选择鼓风或侧出风形式的冷却塔。

6.1.8 冷却塔塔体结构的布置应符合下列规定:

    1 塔内承重梁、柱布置应与气流顺畅的要求相一致,靠近进风口的梁宜平行气流方向布置;

    2 风机风筒进口梁宜为十字形或辐射形布置;

    3 风机承台宜直接布置在塔中心主柱顶上;

    4 塔体结构的材质应根据水质情况选择。

6.2 集 水 池

6.2.1 小型冷却塔,集水池平面尺寸宜与塔体填料区平面尺寸一致,应在进风口侧池顶外加回水檐,回水檐伸出尺寸宜为 1.0m～1.5m。大、中型冷却塔宜将水池加宽至进风口外 1.5m～2.0m,不再设回水檐,北方寒冷地区宜加宽至 2.0m～2.5m。

6.2.2 集水池设计应符合下列规定:

    1 集水池出水管渠应设置拦污格栅网;

    2 集水池应有溢流、排空、排泥设施,池底宜有一定坡度坡向排污坑沟,坡度宜为 0.3%;

    3 集水池池顶宜高出地面 0.5m 以上;

    4 集水池有效水深宜根据循环水泵布置形式、水泵的必需汽蚀余量、循环水系统所需调节容积及冰冻深度等确定,水池有效水深宜为 1.2m ～ 2.3m,水池最高水位以上保护高度不宜小于 0.3m。

6.2.3 多格组合冷却塔集水池应根据循环冷却水系统水温、试车阶段、检修条件、水质处理要求采取分隔措施。

6.3 进 风 口

6.3.1 横流式冷却塔进风口应设百叶窗。逆流式冷却塔进风口可不设百叶窗,多风沙或多漂浮物地区的逆流式冷却塔宜设百叶窗或保护网。

6.3.2 进风口的高度宜根据进风口面积与填料区面积比确定。进风口面积与填料区面积比应按下列规定选取:

    1 单面进风时宜取 0.35～0.45;

    2 两面进风时宜取 0.40～0.50;

    3 三面进风时宜取 0.45～0.65;

    4 四面进风时宜取 0.50～0.70。

6.3.3 进风口上沿的导流板(檐)应按下式计算,当 P_r 大于 8 时可不设导流板(檐),当 P_r 等于 5～8 时应设置导流板(檐),当 P_r 小于 5 时应调整有关设计参数。

$$P_r = \sum \Delta P_i \bigg/ \left(\frac{\rho_1}{2} v_1^2 \right) \qquad (6.3.3)$$

式中:P_r ——压力比;

$\sum \Delta P_i$ ——从进风口至收水器后的通风阻力损失总和(Pa);

v_1 ——进风口风速(m/s)。

6.3.4 进风口侧面导流板设置应符合下列规定:

1 进风口与主导风向或塔群周围小区空气流动方向平行时,可不设导流板;

2 进风口与主导风向或塔群区空气流动方向存在一定夹角时,宜在塔排端部设置进风口侧面导流板。

6.4 填 料

6.4.1 填料选择应综合考虑冷却塔形式、热力特性、冷却任务、循环冷却水质、通风条件、填料的热力特性、阻力特性、填料的支撑方式、填料的造价等因素确定,并应符合下列规定:

1 应选择热力与阻力性能好、刚度好、耐腐蚀、抗老化、具有阻燃性能的填料;

2 逆流式冷却塔宜采用薄膜式或点滴薄膜式填料;

3 横流式冷却塔宜对薄膜式、点滴薄膜式、点滴式填料与塔体高度等因素匹配比较后确定,淋水填料的装填高度和进深的比值宜为 2.0～2.5。

6.4.2 应根据冷却塔进水温度 t_1 选择耐温性能不同的填料,并考虑材料对散热性能的影响,填料的选择应符合下列规定:

1 $t_1 \leqslant 45℃$ 时,宜采用改性聚氯乙烯(PVC)填料;

2 $45℃ < t_1 \leqslant 60℃$ 时,宜采用氯化聚氯乙烯(CPVC)和聚丙烯(PP)填料;

3 $60℃ < t_1 \leqslant 70℃$ 时,宜采用聚丙烯(PP)或纤维增强塑料

· 23 ·

（FRP）材料；

    4 $t_1>70℃$ 时，宜选铝合金或其他耐高温材料；

    5 寒冷地区应选用耐寒型填料。

6.4.3 当冷却水的悬浮物浓度小于 50mg/L 时，宜采用薄膜型填料。当冷却水的悬浮物浓度大于 100mg/L 时，宜采用点滴式或点滴薄膜式填料，当冷却水的悬浮物浓度介于 50mg/L～100mg/L 之间时，可选用片距较大或防堵型薄膜填料，或点滴薄膜式填料。

6.4.4 填料的热力特性与阻力特性应结合风机特性进行综合评价，选择在相同设计条件下冷却能力最大者。

6.4.5 当填料块直接简支在支撑小梁上时，支撑梁宜采用宽度小、通风阻力小的结构，梁中距应与填料块简支最优尺寸相配合。当采用支撑型格板时，格板简支设计跨度与支撑梁的跨度应一致，格板的耐腐蚀性能应与填料相适应，同时应考虑格板对通风阻力的影响。

6.4.6 当填料安装方式采用吊装时，应有防止填料发生晃动的措施。填料的组装形式应稳定、便于施工和日常维护。

6.5 配 水 系 统

6.5.1 配水系统总体布置形式应满足配水均匀、水力损失小、通风阻力小、便于施工安装与维修的要求。

6.5.2 逆流式冷却塔宜采用管式配水，应通过水力计算及布置条件比较，确定采用树状管式配水或环状管式配水。冷却水中悬浮物较多时，可采用槽式配水。

6.5.3 树状配水管宜采用对称分流布置形式，使各支干管入口水压接近相同。

6.5.4 主干管管径宜采用分段变径方法，支干管宜通过计算，综合采用变径、变坡或变喷嘴标高的措施，使各喷头入口水压接近相同。

6.5.5 通过水力计算确定合理管径和分段变径布置的配管方案，

应使所有喷头的流量偏差在 5％以内。

6.5.6 喷头平面布置形式应根据单个喷头布水特性,按照组合布置形式通过计算取最优确定。

6.5.7 横流点滴式冷却塔宜采用池式配水,池底标高应一致。配水池设计水深宜大于喷头内直径的 6 倍,且不宜小于 0.15m。配水池保护高度宜大于 0.1m,在最大设计水量时不应产生溢流。

6.5.8 池式配水前的配水管应能够向各配水池均匀供水。池数、各水池的配水点数、消能设施及水量控制调节设施应结合配水池尺寸经计算比较后确定。

6.5.9 横流式冷却塔配水池宜设置盖板,或采取防止空气短路及光照下滋生微生物和藻类的措施,当冷却水中含有易燃易爆气体时宜设防爆监测点。

6.5.10 横流薄膜式冷却塔宜采用管式配水,单格或双格冷却塔上塔立管宜置于塔体两端;多格冷却塔上塔立管宜分别设置于塔体进风口侧端。

6.5.11 管式配水的支干管宜在进水端设水量、水压调控检修阀,尾端宜设置连通管。

6.5.12 配水管网应有放空、排气设施,根据需要,宜设置稳压管、直接通向水池的旁路水管、化冰管等。

6.5.13 上塔阀门宜采用带防水保护装置的阀门。

6.6 收 水 器

6.6.1 收水器应选用收水效率高、高(宽)度低、通风阻力小、刚度大、重量轻的形式,材质可采用聚氯乙烯塑料、玻璃钢等,其理化性能应与填料具有同等水平,玻璃钢收水器的氧指数不应低于 28％。

6.6.2 机械通风冷却塔应采用高效收水器,收水器宜以实际测试漂滴损失水率作为选择依据,收水器的漂滴损失水率宜小于 0.001％。

6.6.3 收水器布置断面积宜与填料区接近,当收水器构造形状能使出风方向偏转时,应将收水器分区布置,使出收水器的空气向风机(风筒)进口方向汇集。

6.6.4 逆流式冷却塔收水器宜直接敷设在配水管上,当配水管上方有适宜的横梁可利用时,亦可布置在梁的空间内或梁上。

6.6.5 逆流式冷却塔收水器布置平面至风筒进口的距离宜符合下列规定:

　　1 当塔顶板为平盖板时,从风筒进口边缘做单边倾角 45°(顶角为 90°)的虚拟喇叭口向下延伸至收水器平面,得到喇叭口圆直径,此圆范围内的收水器面积与总面积之比宜为 80%;

　　2 当塔顶板为收缩形或平盖板下设置有导流伞时,靠塔壁处塔顶(或导流伞)下沿至收水器顶面应有不少于 0.5m 的过渡高度。

6.6.6 横流式冷却塔收水器宜布置在填料(出风端)后面,从上到下宜分区采用具有不同阻力值的收水器,以使填料区上下风速均匀。

6.7 风　　筒

6.7.1 塔顶盖板为平板时,安装风筒的圈梁底应与顶板内侧顶面平接。空气进口不得做成 90°直角入口,宜做成流线形、圆弧形或喇叭口形,圆弧形半径和喇叭口顶角及高度宜根据土建施工难易、通风状况改善的效果综合平衡后选定。

6.7.2 风筒喉部风机叶片水平轴线以下的吸入段应采用流线型,吸入段高度宜大于 1.2m 并且不小于风筒喉部直径的 15%。

6.7.3 当采用圆锥台型风筒扩散段时,风筒喉部风机叶片水平轴线以上的扩散段(筒)高度宜等于风机半径,扩散段(筒)的中心角宜为 10°～15°。

6.7.4 圆锥台型风筒扩散段(筒)的出口直径应按下式计算:

$$D_0 = D_f + \tan \frac{\alpha}{2} L_0 \tag{6.7.4}$$

式中：D_0——扩散段（筒）出口直径（m）；

D_f——风机直径（m）；

α——扩散段（筒）中心角（°）；

L_0——扩散段（筒）高度（m）。

6.7.5 当采用曲线回转型风筒时，风筒喉部风机叶片水平轴线以上的扩散段（筒）高度可低于本规范式（6.7.4）中的 L_0 值，但其动能回收效率不得降低。

6.7.6 风机叶片尖端至风筒内壁的间隙不应大于风机厂推荐的间隙值，并且不宜大于风机直径的 0.5%。

6.7.7 风机风筒宜采用玻璃钢制作，表面胶衣树脂应含光稳定剂，并应有足够的刚性。

6.8 风　　机

6.8.1 风机应采用效率高、噪声小、安全可靠、耐腐蚀、安装及维修方便的产品。

6.8.2 风机的工作点应在其特性曲线的高效区。

6.8.3 冷却塔的格数较多且布置集中时，风机宜集中控制。各台风机应有可切断电源的转换开关及就地控制风机启、停的操作设施。

6.8.4 风机的减速器应配有油温检测和报警装置，当采用稀油润滑时应配有油位指示装置。直径不小于 6.0m 的风机应配有振动检测、报警和防振保护装置，直径小于 6.0m 的风机宜配有振动检测、报警和防振保护装置。

6.8.5 当大型起吊机无法靠近冷却塔时，塔顶应有固定或临时起吊风机的设施。

6.8.6 对于进塔风量随季节或负荷变化而改变的冷却塔，驱动风机的电机可以采用双速电机。

7 环 境 保 护

7.1 冷却塔消雾

7.1.1 冷却塔羽雾消除可采用提高湿空气温度以及减小含湿量的方法。

7.1.2 消雾型冷却塔应保证热力性能分别满足最湿热季和消雾季的设计散热要求,当气象状态点处于消雾设计点对应的起雾临界曲线下方、外界风力小于 3 级时,冷却塔的风筒出口应无明显可见的雾气团。

7.1.3 冷却塔消雾设计点确定应符合下列规定:

    1 无气象统计资料时,宜由一个标准大气压下、以冷却塔上风向处空气干球温度为 5℃、相对湿度为 90% 的空气状态点及与之对应的各空气状态点所构成的起雾频率曲线为消雾的设计点;

    2 有气象统计资料时,消雾的设计点宜选择全年昼间零雾状态的频率为 80%～85%;

    3 对超低温和高湿地区,零雾状态的频率选择应顾及消雾塔的制造成本。要求全年无羽雾时,应选择最低温度/最高湿度的设计点。

7.1.4 冷却塔的消雾宜按下列规定采取措施:

    1 可向塔内引入足量环境空气,与出填料的湿热空气混合;

    2 可向塔内引入一定量的环境空气,通过间壁式换热器与出填料的湿热空气换热后,再与该湿热空气混合;

    3 可向塔内引入一定量的环境空气,并经过加热后与填料出口的湿热空气混合;

    4 可加热冷却塔湿段填料出口的湿热空气。

7.1.5 采用加热方法消雾的热源可来自冷却水自身或废热源,不

· 28 ·

应采用电加热等额外消耗能源的方法。

7.1.6 冷却塔消雾方法应根据冷却塔能耗与热力性能,经技术经济比较后确定。

7.2 冷却塔消噪声

7.2.1 冷却塔噪声宜符合现行国家标准《玻璃纤维增强塑料冷却塔 第 1 部分:中小型玻璃纤维增强塑料冷却塔》GB/T 7190.1和《玻璃纤维增强塑料冷却塔 第 2 部分:大型玻璃纤维增强塑料冷却塔》GB/T 7190.2 的规定。冷却塔的噪声控制,应根据周边场所性质和环评要求,按现行国家标准《声环境质量标准》GB 3096、《工业企业厂界环境噪声排放标准》GB 12348 执行。

7.2.2 冷却塔噪声控制可按下列规定采取措施:

    1 采用低噪声风机;

    2 在动力设备与塔体框架间加减振垫;

    3 在出风口采用消声装置;

    4 进风口采用消声百叶或消声器;

    5 改善配水或集水系统,降低淋水噪声。

7.2.3 消声装置的材质应抗潮、耐腐蚀。

7.2.4 当冷却塔的噪声不符合敏感点的噪声要求时,宜在冷却塔与控制点间设置组合式隔声屏障。

附录 A 横流式冷却塔冷却数中心差分近似计算法

A.0.1 中心差分法近似计算应符合下列规定：

1 当令 $\xi = \dfrac{x}{x_d}, \zeta = \dfrac{z}{z_d}$ 时，本规范式（5.3.2-3）可转化为下式：

$$\frac{C_w}{K}\frac{\partial t}{\partial \zeta} = -\lambda \frac{\partial h}{\partial \xi} = -\Omega'_h(h'' - h) \qquad (A.0.1)$$

2 应将交换断面 $\xi = 0 \sim 1$ 分成 m 等分，$\zeta = 0 \sim 1$ 分成 n 等分，位置以 (i,j) 表示，分格为正方形（图 A.0.1）。

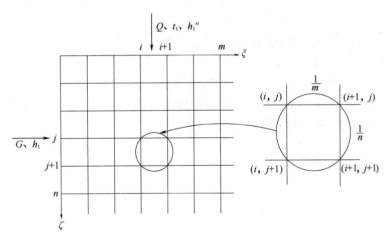

图 A.0.1 差分计算图

A.0.2 差分计算公式应符合下列规定：

1 当边界条件以填料顶面计算时，$j=1, \zeta=0, t_{(i,1)}=t_1, h''_{(i,1)}=h''_1, h_{(i,1)}$ 应按下式计算：

$$h_{(i,1)} = \frac{h_1'' \left\{ \exp\left[\dfrac{\Omega_h'}{\lambda m}(i-1) \right] - 1 \right\}}{\exp\left[\dfrac{\Omega_h'}{\lambda m}(i-1) \right]} \qquad \text{(A. 0. 2-1)}$$

2 当边界条件以进风面计算时，$i=1$，$\xi=0$，$h_{(1,j)}=h_1$，$t_{(1,j+1)}$ 应按下式计算：

$$t_{(1,j+1)} = t_{(1,j)} + (K_0 + 2K_1 + 2K_2 + K_3)/6$$

$$\text{(A. 0. 2-2)}$$

式中，K_0、K_1、K_2、K_3 应分别按下列公式计算：

$$\begin{aligned} K_0 &= R_3 \left[h_{(1,j)}'' - h_1 \right] \\ K_1 &= R_3 \left[h_{(K_0)}'' - h_1 \right] \\ K_2 &= R_3 \left[h_{(K_1)}'' - h_1 \right] \\ K_3 &= R_3 \left[h_{(K_2)}'' - h_1 \right] \end{aligned} \qquad \text{(A. 0. 2-3)}$$

$$R_3 = \frac{-K\Omega_h'}{C_w n} \qquad \text{(A. 0. 2-4)}$$

式中：$h_{(K_0)}''$、$h_{(K_1)}''$、$h_{(K_2)}''$——水温 $t = t_{(1,j)} + K_0/2$，$t = t_{(1,j)} + K_1/2$，$t = t_{(1,j)} + K_2$ 时的饱和空气焓 [kJ/kg（干空气）]。

3 $t = t_{(i+1,j+1)}$ 应按下式计算：

$$t_{(i+1,j+1)} = t_{(i,j)} - \{ t_{(i,j+1)} - t_{(i+1,j)} + R_1 [2h_{(i,j)}'' + h_{(i+1,j)}'' + h_{(i+1,j)}'' - 2h_{(i,j)} - 2h_{(i,j+1)}] \} / [1 + R_1 C_{S(i,j)}]$$

$$\text{(A. 0. 2-5)}$$

式中，R_1 及 $C_{S(i,j)}$ 应分别按下列公式计算：

$$R_1 = \frac{K\Omega_h'\lambda m}{C_w(2\lambda m + \Omega_h')n} \qquad \text{(A. 0. 2-6)}$$

$$C_{S(i,j)} = \frac{h_{(i+1,j+1)}'' - h_{(i,j)}''}{t_{(i+1,j+1)} - t_{(i,j)}} \qquad \text{(A. 0. 2-7)}$$

4 $h_{(i+1,j+1)}$ 应按下式计算：

$$h_{(i+1,j+1)} = h_{(i,j+1)} - h_{(i+1,j)} + h_{(i,j)} - \frac{C_w n}{K\lambda m} [t_{(i+1,j+1)} -$$

· 31 ·

$$t_{(i+1,j)} + t_{(i,j+1)} - t_{(i,j)}]$$ (A.0.2-8)

5 t_2应按下式计算：

$$t_2 = \frac{1}{m}\left[t_{(1,n+1)}/2 + t_{(m+1,n+1)}/2 + \sum_{i=2}^{m} t_{(i,n+1)}\right]$$

(A.0.2-9)

A.0.3 中心差分法计算方法应符合下列规定：

1 当进塔空气干球温度 θ_1，湿球温度 τ_1，大气压 P，进塔水流量 Q，进塔水温 t_1，出塔水温 t_2，进塔空气流量 G，淋水填料的高度 z_d、深度 x_d 已知时，应将交换面分成边长不大于 0.5m 的方格；

2 在假定特性数 Ω_h' 的条件下，应按照由上到下、从左到右的顺序计算出塔水温 t_2；

3 应比较计算出的 t_2 与已给出的 t_2 的差值，如差值小于 $\pm 0.05℃$，假定的特性数 Ω_h' 即为所求；如差值大于或等于 $\pm 0.05℃$，需重新假定特性数 Ω_h'。

A.0.4 假定特性数 Ω_h' 求出水温 t_2 方法应符合下列规定：

1 当 $i=1$、2、3、$\cdots$、$m+1$ 时，$t_{(i,1)} = t_1$，$h_{(i,1)}'' = h_1''$，应按本规范式 (A.0.2-1) 计算 $h_{(i,1)}$；

2 当 $j=1$、2、3、$\cdots$、$n+1$ 时，$h_{(1,j+1)} = h_1$，应按本规范式 (A.0.2-2) 计算 $t_{(1,j+1)}$，并应根据 $t_{(1,j+1)}$ 计算 $h_{(i,j+1)}''$；

3 当 $i=1$、2、3、$\cdots$、m 和 $j=1$、2、3、$\cdots$、n 时，应按本规范式 (A.0.2-5) 计算 $t_{(i+1,j+1)}$ 并由 $t_{(i+1,j+1)}$ 计算 $h_{(i+1,j+1)}''$；

4 应按本规范式 (A.0.2-8) 计算 $h_{(i+1,j+1)}$；

5 应按本规范式 (A.0.2-9) 计算 t_2。

附录 B 逆流式冷却塔塔体阻力系数计算方法

B.0.1 逆流式冷却塔塔体阻力系数应换算到以填料区风速和空气密度下的阻力系数。换算前的各部件的阻力系数为 ξ_i，换算后的各部件阻力系数为 $[\xi_i]$，断面积不同的静态换算，以 $[\xi]'$ 表示，具体计算方法详见第 B.0.2 条～第 B.0.12 条。

B.0.2 进风口的阻力系数 $[\xi_1]$ 应按下式计算：

$$[\xi_1] = \xi_1(F/F_1)^2 \qquad (\text{B.0.2})$$

式中：ξ_1——进风口处气流速度所决定的阻力系数，数值为 0.55；

F_1——进风口面积（m^2）；

F——填料区面积（m^2）。

B.0.3 导风装置阻力系数 $[\xi_2]$ 应按下式计算：

$$[\xi_2] = \xi_2 = (0.1 + 0.025q)L \qquad (\text{B.0.3})$$

式中：L——导风装置的进深（m）；

q——淋水密度 $m^3/(m^2 \cdot h)$。

B.0.4 进入淋水装置前气流转弯阻力系数 $[\xi_3]$ 应按下式计算：

$$[\xi_3] = \xi_3 = 0.5 \qquad (\text{B.0.4})$$

式中：ξ_3——淋水装置中气流速度所决定的阻力系数，数值为 0.5。

B.0.5 淋水装置支撑梁的阻力系数 $[\xi_4]$ 应按下列公式计算：

$$[\xi_4] = \xi_4(F/F_4)^2 \qquad (\text{B.0.5-1})$$

$$\xi_4 = 0.5(1 - F_4/F) + (1 - F_4/F)^2 \qquad (\text{B.0.5-2})$$

式中：F_4——淋水装置支撑梁处气流通过的净通风面积（m^2）。

B.0.6 配水装置阻力系数 $[\xi_5]$ 计算应符合下列规定：

1 由于配水装置的管槽占据了冷却塔的有效横截面积而造成的阻力系数 ξ_5 可按下式（伊捷利契克公式）计算：

· 33 ·

$$\xi_5 = [0.5 + 1.3(1 - F_5/F)^2](F/F_5)^2 \quad (B.0.6-1)$$

式中：F_5——配水装置管槽平面上的冷却塔的净通风面积(m^2)。

2 填料后方的各部件应考虑填料后方空气密度与体积风量变化对阻力值的影响因素,并应按下列公式计算静态条件下的阻力系数：

$$[\xi_5]' = \xi_5 \quad (B.0.6-2)$$

$$[\xi_5] = \frac{\rho_2}{\rho_1}\left(\frac{\rho_{1d}}{\rho_{2d}}\right)^2[\xi_5]' \quad (B.0.6-3)$$

式中：$[\xi_5]'$——静态条件下的阻力系数。

B.0.7 收水器支撑梁处的收缩与扩大阻力系数$[\xi_6]$应按下列公式计算：

$$[\xi_6]' = [0.5(1 - F_6/F) + (1 - F_6/F)^2](F/F_6)^2$$
$$(B.0.7-1)$$

$$[\xi_6] = \frac{\rho_2}{\rho_1}\left(\frac{\rho_{1d}}{\rho_{2d}}\right)^2[\xi_6]' \quad (B.0.7-2)$$

式中：F_6——收水器支撑梁处气流通过的净通风面积(m^2)。

注：收水器放置在配水管上时,不计算支撑梁的阻力系数。

B.0.8 收水器阻力系数$[\xi_7]$应按下列公式计算：

$$[\xi_7]' = (F/F_7)^2\xi_7 \quad (B.0.8-1)$$

$$[\xi_7] = \frac{\rho_2}{\rho_1}\left(\frac{\rho_{1d}}{\rho_{2d}}\right)^2[\xi_7]' \quad (B.0.8-2)$$

式中：F_7——收水器支撑梁处气流通过的净通风面积(m^2),其值与F_6相同;收水器放置在配水管上时,F_7与F_5相同;

ξ_7——收水器采用实验测得的阻力系数。

B.0.9 风筒圈梁进口阻力系数$[\xi_8]$计算应符合下列规定：

1 进风口为锥形渐缩喇叭口(图 B.0.9-1)应按下列公式计算：

$$[\xi_8]' = \varepsilon\xi_8'(F/F_8)^2 \quad (B.0.9-1)$$

$$[\xi_8] = \frac{\rho_2}{\rho_1}\left(\frac{\rho_{1d}}{\rho_{2d}}\right)^2 [\xi_8]' \quad (B.0.9-2)$$

式中：ξ_8'——锥形渐缩喇叭口局部阻力系数，根据收缩段高度与小口直径之比 L/D 值和渐缩角 α 查表 B.0.9-1 确定；

ε——面积比阻力修正系数，根据小口面积与填料区面积之比 F_8/F 查表 B.0.9-2 确定。

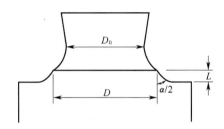

图 B.0.9-1 锥形渐缩喇叭口进风口示意

表 B.0.9-1 锥形渐缩喇叭口局部阻力系数 ξ_8'

L/D	不同渐缩角 α 时的 ξ_8'								
	0	10	20	30	40	60	100	140	180
0.025	0.50	0.47	0.45	0.43	0.41	0.40	0.42	0.45	0.50
0.050	0.50	0.45	0.41	0.36	0.33	0.30	0.35	0.42	0.50
0.075	0.50	0.42	0.35	0.30	0.26	0.23	0.30	0.40	0.50
0.100	0.50	0.39	0.32	0.25	0.22	0.18	0.27	0.38	0.50
0.150	0.50	0.37	0.27	0.20	0.16	0.15	0.25	0.37	0.50
0.600	0.50	0.27	0.18	0.13	0.11	0.12	0.23	0.36	0.50

表 B.0.9-2 面积比阻力修正系数 ε

F_8/F	0	0.2	0.4	0.6	0.8	0.9	1.0
ε	1.00	0.85	0.68	0.50	0.30	0.18	0.00

2 进风口为圆弧形渐缩喇叭口（图 B.0.9-2）应按下列公式

计算：

$$[\xi_8]' = \varepsilon \xi_8'' (F/F_8)^2 \quad (B.0.9-3)$$

$$[\xi_8] = \frac{\rho_2}{\rho_1}\left(\frac{\rho_{1d}}{\rho_{2d}}\right)^2 [\xi_8]' \quad (B.0.9-4)$$

式中：ξ_8''——圆弧形渐缩喇叭口局部阻力系数，根据 r/D 值查表 B.0.9-3 确定；

ε——根据小口面积与填料区面积之比 F_8/F 查表 B.0.9-2 确定。

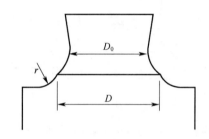

图 B.0.9-2 圆弧形渐缩喇叭口进风口示意

表 B.0.9-3 圆弧形渐缩喇叭口局部阻力系数 ξ_8''

r/D	0.00	0.01	0.02	0.03	0.04	0.05	0.06	0.08	0.10	0.12	0.16	>0.20
ξ_8''	0.50	0.43	0.36	0.31	0.26	0.22	0.20	0.15	0.12	0.09	0.06	0.03

3 进风口为"天圆地方形"渐缩管（图 B.0.9-3）应按下列公式计算：

$$[\xi_8]' = (F/F_8)^2 \xi_8 \quad (B.0.9-5)$$

$$[\xi_8] = \frac{\rho_2}{\rho_1}\left(\frac{\rho_{1d}}{\rho_{2d}}\right)^2 [\xi_8]' \quad (B.0.9-6)$$

$$\alpha = 2\arctan\frac{\sqrt{F/0.785} - D}{2L} \quad (B.0.9-7)$$

式中：F_8——风筒进口面积，为 $0.785D^2$（m²）；

ξ_8——"天圆地方形"渐缩长阻力系数，根据渐缩角 α 及两端面积比查表 B.0.9-4 确定。

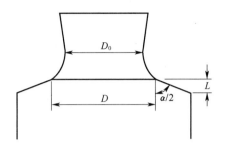

图 B.0.9-3 "天圆地方形"渐缩管进风口示意

表 B.0.9-4　"天圆地方形"渐缩管阻力系数 ξ_8

F/F_8	α						
	10°	15°～40°	50°～60°	90°	120°	150°	180°
2	0.05	0.05	0.06	0.12	0.18	0.24	0.26
4	0.05	0.04	0.07	0.17	0.27	0.35	0.41
6	0.05	0.04	0.07	0.18	0.28	0.36	0.42
10	0.05	0.05	0.08	0.19	0.29	0.37	0.43

B.0.10 风筒进口渐缩段阻力系数 $[\xi_9]$ 应按下列公式计算：

$$\xi_9 = \frac{\lambda}{8\sin\frac{\alpha}{2}}\left(1 - \frac{1}{n^2}\right) + K\left(\frac{1}{\varepsilon} - 1\right)^2 \quad \text{(B.0.10-1)}$$

$$\varepsilon = 0.57 + \frac{0.43}{1.1 - \frac{F_{\text{小}}}{F_{\text{大}}}} \quad \text{(B.0.10-2)}$$

$$[\xi_9]' = (F_{\text{大}}/F_{\text{小}})^2 \xi_9 \quad \text{(B.0.10-3)}$$

$$[\xi_9] = \frac{\rho_2}{\rho_1}\left(\frac{\rho_{1d}}{\rho_{2d}}\right)^2 [\xi_9]' \quad \text{(B.0.10-4)}$$

式中：n —— $F_{\text{大}}/F_{\text{小}}$，$F_{\text{大}}$ 为风筒进口面积，$F_{\text{小}}$ 为风筒喉部面积；

α —— 渐缩角（图 B.0.10-1）；

K —— 逐渐缩小缓冲系数，可由图 B.0.10-2 查得；

λ —— 沿程损失的摩擦阻力系数，可参照通风工程计算方法详细计算,一般粗算可取 $\lambda \approx 0.03$。

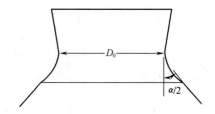

图 B.0.10-1 渐缩角 α

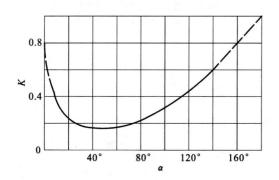

图 B.0.10-2 逐渐缩小缓冲系数 K

B.0.11 风筒出口扩散段(图 B.0.11-1)阻力系数 $[\xi_{10}]$ 应按下列公式计算：

$$\xi_{10} = (\xi_{扩} + \xi_{出})(1+\delta) \quad \text{(B.0.11-1)}$$

$$\xi_{扩} = \frac{\lambda}{8\sin\frac{\alpha}{2}}\left(1-\frac{1}{n^2}\right) + K'\left(\frac{1}{n}-1\right)^2 \quad \text{(B.0.11-2)}$$

$$\xi_{出} = 1 \times (F_{喉}/F_{出})^2 \quad \text{(B.0.11-3)}$$

$$[\xi_{10}]' = (F/F_{喉})^2 \xi_{10} \quad \text{(B.0.11-4)}$$

$$[\xi_{10}] = \frac{\rho_2}{\rho_1}\left(\frac{\rho_{1d}}{\rho_{2d}}\right)^2 [\xi_{10}]' \quad \text{(B.0.11-5)}$$

式中：δ ——风速分布不均匀的修正系数，可按图 B.0.11-2 选取；
α ——渐扩角；
λ ——沿程损失的摩擦阻力系数；
K' ——逐渐扩大缓冲系数，可由表 B.0.11 查得；
n —— $F_{出}/F_{喉}$，$F_{出}$ 为风筒出口面积，$F_{喉}$ 为风筒喉部面积。

表 B.0.11 逐渐扩大的缓冲系数 K'

α	4°	8°	15°	30°	60°
K'	0.08	0.16	0.35	0.80	0.95

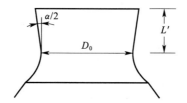

图 B.0.11-1 风筒出口扩散段示意

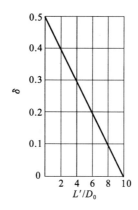

图 B.0.11-2 风筒内风速不均匀系数

B.0.12 塔体总阻力系数 $\sum\limits_{n=1}^{n}[\xi_i]$ 应按下式计算：

$$\sum_{i=1}^{10} [\xi_i] = [\xi_1] + [\xi_2] + [\xi_3] + [\xi_4] + [\xi_5] + [\xi_6] + [\xi_7] +$$

$$[\xi_8] + [\xi_9] + [\xi_{10}]$$

$$= (0.1 + 0.025q)L + ([\xi_1] + [\xi_3] + [\xi_4]) + \frac{\rho_2}{\rho_1}\left(\frac{\rho_{1d}}{\rho_{2d}}\right)^2$$

$$([\xi_5]' + [\xi_6]' + [\xi_7]' + [\xi_8]' + [\xi_9]' + [\xi_{10}]')$$

$$(B.0.12)$$

式中：q ——淋水密度$[m^3/(m^2 \cdot h)]$；

L ——单面进风时为雨区横向长度(m)，单塔进风面多于 2
时为雨区横向长度的 50%。

本规范用词说明

1 为便于在执行本规范条文时区别对待,对要求严格程度不同的用词说明如下:

1)表示很严格,非这样做不可的:

正面词采用"必须",反面词采用"严禁";

2)表示严格,在正常情况下均应这样做的:

正面词采用"应",反面词采用"不应"或"不得";

3)表示允许稍有选择,在条件许可时首先应这样做的:

正面词采用"宜",反面词采用"不宜";

4)表示有选择,在一定条件下可以这样做的,采用"可"。

2 条文中指明应按其他有关标准执行的写法为:"应符合……的规定"或"应按……执行"。

引用标准名录

《声环境质量标准》GB 3096
《玻璃纤维增强塑料冷却塔》GB/T 7190
《工业企业厂界环境噪声排放标准》GB 12348
《结构用纤维增强复合材料拉挤型材》GB/T 31539
《冷却塔塑料部件技术条件》DL/T 742

中华人民共和国国家标准

机械通风冷却塔工艺设计规范

GB/T 50392-2016

条 文 说 明

修 订 说 明

　　《机械通风冷却塔工艺设计规范》GB/T 50392—2016,经住房城乡建设部 2016 年 8 月 18 日以第 1267 号公告批准发布。

　　本规范是在《机械通风冷却塔工艺设计规范》GB/T 50392—2006(以下简称原规范)的基础上修订而成的,上一版的主编单位是全国化工给排水设计技术中心站,参编单位是中国成达工程公司、东华工程科技股份有限公司、西安建筑科技大学,主要起草人是潘椿、韩玲、蒋晓明、张建平、王大哲。

　　本规范在修订过程中,编制组进行了广泛的调查研究,总结了我国机械通风冷却塔设计、制造、使用的实践经验,同时参考了国外先进技术法规、技术标准。

　　为了方便广大设计、生产、施工、科研、学校等单位有关人员在使用本规范时能正确理解和执行条文规定,《机械通风冷却塔工艺设计规范》编制组按章、节、条顺序编制了本规范的条文说明,对条文规定的目的、依据以及执行中需注意的有关事项进行了说明。但是,本条文说明不具备与规范正文同等的法律效力,仅供使用者作为理解和把握规范规定的参考。

目　　次

1　总　　则 ……………………………………………（49）

2　术　　语 ……………………………………………（52）

3　基本规定 ……………………………………………（53）

　　3.1　一般规定 ………………………………………（53）

　　3.2　冷却塔布置 ……………………………………（57）

　　3.3　冷却塔防护 ……………………………………（60）

4　气象参数 ……………………………………………（64）

5　设计计算 ……………………………………………（68）

　　5.1　热力计算中常用参数计算 ……………………（68）

　　5.2　逆流式冷却塔工作特性 ………………………（70）

　　5.3　横流式冷却塔工作特性 ………………………（74）

　　5.4　热力计算 ………………………………………（75）

　　5.5　阻力计算 ………………………………………（77）

　　5.6　水量计算 ………………………………………（80）

　　5.7　水力计算 ………………………………………（83）

6　塔型及部件设计 ……………………………………（107）

　　6.1　塔型 ……………………………………………（107）

　　6.2　集水池 …………………………………………（109）

　　6.3　进风口 …………………………………………（110）

　　6.4　填料 ……………………………………………（110）

　　6.5　配水系统 ………………………………………（112）

　　6.6　收水器 …………………………………………（119）

　　6.7　风筒 ……………………………………………（121）

　　6.8　风机 ……………………………………………（122）

· 47 ·

7 环境保护 ·· (124)

7.1 冷却塔消雾 ·· (124)

7.2 冷却塔消噪声 ·· (135)

附录 A 横流式冷却塔冷却数中心差分近似计算法 ········· (136)

附录 B 逆流式冷却塔塔体阻力系数计算方法 ·············· (138)

1 总 则

1.0.1 冷却塔是循环冷却水系统的重要设备。机械通风冷却塔在化工、石化、冶金、纺织、电力等高耗水行业的循环冷却水系统以及民用空调循环冷却水系统广泛使用,可以说有循环冷却水的地方,就有机械通风冷却塔。

我国广泛使用机械通风式冷却塔始于 20 世纪 70 年代,四十多年来,我国的冷却塔技术经历了从无到有、从低水平到具有一定水平的过程。目前,我国机械通风冷却塔及其相关产品方面的新技术、新产品层出不穷。冷却塔的计算既是边缘学科,又是实验学科,从计算公式的选用到经验参数的选取,对冷却塔的设计计算结果都有很大的影响,直接影响冷却塔的运行效果。为了经济、合理、安全地发挥冷却塔在循环冷却水系统中的重要作用,减少机械通风冷却塔的设计、招标过程中的盲目性和人为性,保证循环冷却水系统长周期、安全、稳定地运行,特制订本规范。

1.0.2 本条规定了本规范的适用范围。

本规范原则上适用于工业机械通风冷却塔的工艺设计,由于民用空调系统冷却塔的设计有一定的特殊性,在没有国家设计标准的情况下可以参照本规范。冷却塔的分类如图 1 所示,图 1 的分类比原规范要细,范围比传统概念扩大了很多,近年来又出现了一些特殊功能的冷却塔,为了理解方便,图 1 中以粗框表示完全适用本规范的机械通风冷却塔的类别。

对鼓风式机械通风开式冷却塔、侧出风机械通风开式冷却塔,由于塔内部分流场及塔外流场与抽风式机械通风冷却塔有一定差别,因此本规范适用于与抽风式机械通风冷却塔相同部分的设计及热力计算。

· 49 ·

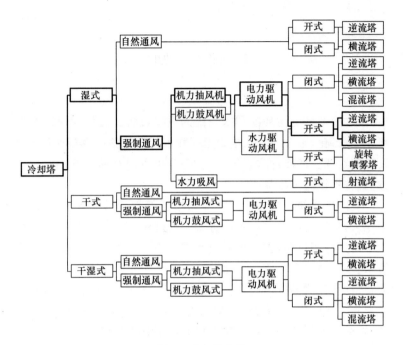

图 1 冷却塔分类

对水轮机驱动风机的开式冷却塔,除涉及驱动风机的水力设计外,其他冷却塔的工艺设计均适用本规范。

对喷射式冷却塔、旋转喷雾式冷却塔,目前测试数据与研究较少。喷射式冷却塔理论上属于强制通风,但不属于机械通风开式冷却塔。旋转喷雾式冷却塔理论上虽属于机械通风,但系水力驱动的鼓风型开式冷却塔,因此本规范不适于喷射式冷却塔、旋转喷雾冷却塔的设计。

由于闭式冷却塔的冷却原理与开式冷却塔的冷却原理本质上不同,因此本规范不适用于闭式冷却塔的设计。

为了消雾和节水,并且主要为了消雾,还有湿段与干段混合冷却的消雾型冷却塔、节水型冷却塔。在闭式塔中,当冷却水温过高时,为避免结垢和减少蒸发量,也会采用干段和湿段串联的形式。

这些都属于干湿式冷却塔。由于本规范没有涉及干段冷却的设计,因此本规范也不完全适用于这些塔的设计。

1.0.3 本条规定了执行本规范与其他国家标准、规范之间的关系。冷却塔的设计中会遇到建(构)筑物的布置、防火、防爆、道路交通、环境保护、噪声控制等方面的要求,应执行国家现行的有关规范。

2 术　语

本章在修订时删除了"符号"部分,删除了原术语"循环冷却水"、"进塔水压",增补了以下术语:开式冷却塔、闭式冷却塔、淋水密度、羽雾、回流、干扰。

3 基 本 规 定

3.1 一 般 规 定

3.1.1 冷却塔的设计是依据工艺所需要的冷却水量、水温差 $(t_1 - t_2)$ 以及当地气象条件进行设计的,故本条规定冷却塔的设计应根据生产工艺和气象条件进行多方案比较,使设计的冷却塔做到技术先进、经济合理,注意克服设计过分保守的倾向。

3.1.2 冷却塔大、中、小型的界限划分,可按风机直径的大小、土建结构尺寸、单格塔的冷却水量进行划分,业内共识是以冷却水量的大小进行划分。根据国内常用冷却塔的冷却水量,将冷却塔划分成三个级别。对近年来国内化工、石化、冶金等系统使用的机械通风冷却塔调查表明,单格塔的水量负荷已达到 4000m³/h 及以上,为了与国内其他规范协调一致,本条仍把冷却水量 3000m³/h 作为大型冷却塔的界限。对特殊水质或温差大于 15℃的冷却塔,大、中、小型冷却塔的水量界限可适当降低。

3.1.3 本条是从理顺冷却塔内的气流、减小气体涡流的角度作出的规定。

1 横流式冷却塔填料顶面至风机吸入段下缘(风筒入口)之间要留出过渡高度,使得从填料的水平方向流出的气流能顺利转弯向上进入风筒,根据经验,此高度不宜小于风机直径的 20%。

2 横流式机械通风冷却塔的进风口风速一般在 3.0m/s 左右,风速较高,同时由于横流塔的总高较高,水流沿填料垂直下落时会产生横向偏移,因此填料宜按一定收缩倾角安装,根据设计经验和大量横流塔的运行经验,本条给出了横流式冷却塔中点滴式填料和薄膜式填料适宜的安装收缩倾角。

3 横流式冷却塔填料底部至水面间一般有 300mm 左右的空间,有的冷却塔利用横梁作为挡风板防止气流短路流通,但当池

· 53 ·

中水位降低时,该空间成为空气短路的通道,致使塔的冷却能力下降,故应采取有效措施防止气流短路。

4 逆流式冷却塔内的气流从面积较大的填料顶面流出后,经气流收缩段进入面积较小的风筒入口,当两者之间高差足够大时气流为自由收缩,损失最小,气流稳定性最佳,但一般做不到,故气流受塔壁形状和尺寸大小的影响产生不同效果。例如,风筒进口采用流线型、抛物线型可以使气流平稳进入风机风筒,避免气流与风筒边壁分离产生涡流耗损。研究表明,风筒进口采用流线型比直角型风量可提高 18%。同时,根据实践经验,提出以下改善风筒入口处气流阻力的措施:

1)当塔顶为平盖板时,气流收缩段的顶角是指一个当量的直圆锥台形渐缩管的顶角,其大口面积等于填料顶面积(或收水器顶面积),小口面积等于风机风筒进口面积,高度为填料顶(收水器顶)至塔顶板内壁的高度差,此高度决定于顶角的大小,见图 2 和图 3。

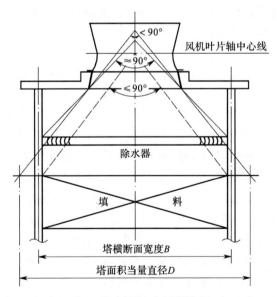

图 2 塔顶为平盖板时气流收缩顶角示意

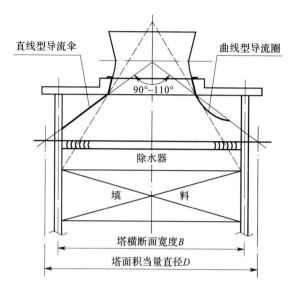

图3 有导流伞时气流收缩顶角示意

对气流收缩角的描述有两种说法,其一是从填料顶两侧边缘作风机叶片中心线与塔中心线交点的连线形成一个三角形,其顶角即为气流收缩角,如图2中虚线所示。从图2可以看出,这个角不是气流收缩角,因为气流是从宽度等于填料宽度的断面流出,一路渐缩,到直径等于风筒进口的断面,而后进入风筒,但按此三角形推算,在风筒下口标高处,此三角形的宽度明显小于风筒入口直径,故不能将它定义为气流收缩角。

另一种说法是从填料顶两侧边缘作风筒圈梁下口直径两侧边缘的连线并延伸至塔中心线形成一个三角形,如图3中虚线所示,它的顶角称为气流收缩角,对塔身为圆形的塔来说是正确的,但对正方形塔或矩形塔则不完全对,因为在塔横断面处填料边缘离塔中心距离最短,以此距离推求的顶角最小,而在进风口边缘处(即塔水平断面斜对角)的填料边缘至塔中心的距离为最长,对方形塔二者比值为1.414倍,以此值推算的顶角为最大。对这样的气流收缩段顶角,采用哪一个数值为代表值,目前众说纷纭,尚没有规定可依。

参照通风工程对于从方形(矩形)断面渐变至圆形断面的渐缩管,又称天圆地方形渐缩管,它对气流收缩角的正确定义方法是:将方形(矩形)断面(面积用 F 表示)按面积相同折合成当量圆形断面 $D=\sqrt{\dfrac{F}{0.785}}$ 来计算,可以求出一个当量的顶角,它除可确定一个高度外,还可按此顶角值进一步求出通风阻力损失值。此种方法定义比较准确合理,故本规定采用此种定义方法。

工程设计时,先分别定出塔顶板内壁至收水器的高差,收水器至配水装置的高差,配水装置至填料顶面的高差,以三者合计的高差推求填料顶算起的气流收缩角,如果该角度小于 90°,可认为符合要求,如果大于 90°,则应调整上述高度。

2)塔顶盖板为收缩型时,塔顶板的收缩角即为收水器上方的气流收缩角,见图 4。

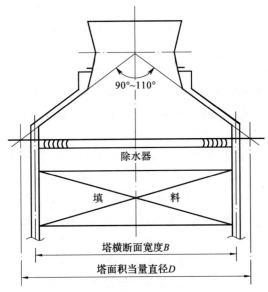

图 4 收缩型塔顶气流收缩顶角示意

5 双侧进风的逆流式机械通风冷却塔设置中部挡风隔板,能够减小单向穿堂风及涡流、旋风的影响。隔板上缘紧贴填料支撑梁底,下缘深入集水池水面之下,具有稳定风压、减少涡流旋风的作用。

3.1.4 淋水密度在冷却塔设备招投标中是一个重要的参数,本条规定的参数系参照国内外工程设计,考虑到近年来冷却塔市场发展趋势,并以工程应用数据为依据作出的规定,对原规范规定的淋水范围和大、中型冷却塔的塔内风速范围进行了调整,原规范规定:大、中型冷却塔:淋水密度宜为 $12m^3/(m^2 \cdot h) \sim 14m^3/(m^2 \cdot h)$,塔内风速为 $2.2m/s \sim 2.5m/s$;小型冷却塔:淋水密度宜为 $13m^3/(m^2 \cdot h) \sim 15m^3/(m^2 \cdot h)$。为了与国内相关规范统一,本条的淋水密度是指以冷却塔外围护板轴线尺寸计算的单位面积上、单位时间的喷淋水量。同样,塔内风速是以与计算淋水密度相同的塔横截面进行计算。寒冷地区,淋水密度宜取大值,是因为增加淋水密度,可以起到防冰的作用。

3.1.5 本条是新增内容。冷却塔的填料区,梁、柱所占的面积越大,越影响通风效果,梁、柱所占冷却塔面积的比例大小可衡量冷却塔的设计水平高低。通常,梁、柱的面积约占冷却塔横截面积的20%,梁、柱所占面积是不能发挥冷却作用的,小于这个比例,钢筋混凝土结构的冷却塔很难做到,故此规定梁、柱的投影面积不宜超过冷却塔横截面积的20%。

3.1.6 本条是参照美国尼尔·W·凯利著《横流冷却塔性能手册》中的数据,并结合近年来冷却塔的实际运行数据作出的规定。

3.2 冷却塔布置

3.2.1 本条是新增内容。风向,尤其是每年最热月的主导风向,对冷却塔的散热有较大影响,本条规定的目的是为有利于冷却塔的通风散热。关于风向与塔排布置的关系,美国规范规定,当塔排长度小于250英尺(80m)时,建议塔排的长轴方向平行于夏季主导风向,当塔排长度大于 250 英尺时,建议塔排的长轴方向垂直于夏季主导风向。按我国大多数 8.53m 风机的冷却塔的尺寸18m×18m,250 英尺相当于 4 间塔~5 间塔的长度。

3.2.2 本条是新增内容。根据资料介绍,周围进风的正八边形阻力系数为 1.0(最小),但是这种塔结构设计比较复杂,只适合单塔布置,工业企业常用的机械通风冷却塔大都是从相反两个方向进风的正方形或长方形冷却塔,当边长比为 1∶1 时,阻力系数为 1.2~1.3,当边长比为 4∶3 时,阻力系数为 1.3~1.48,边长比继续增加,阻力系数增大,故此本条规定长方形塔的长宽比不宜大于4∶3。

3.2.3 冷却塔单排布置时,可以避免相邻塔排的影响与干扰。关于塔排的长度与宽度之比,前苏联规范规定为 3∶1;英国规范规定宜取 5∶1。在这样的长宽比范围内,湿热空气的回流影响较小。在总图平面布置狭窄地区,大、中型冷却塔可放宽至 5∶1。

3.2.4 本条是新增内容。关于回流影响时设计湿球温度的修正,原规范给出了修正值的范围,具体执行规范时,修正的尺度难以掌握。修订后的本条,给出了回流影响修正的计算方法。本条给出的计算公式消化和借鉴了国外有关资料,可以定量地计算回流影响时设计湿球温度的增加值。对于冷却塔,只要排出湿空气、气象条件合适,就会产生回流,只是当水量比较小时,回流影响可以忽略。为了理解方便,给出计算示例如下:某循环冷却水系统,塔排的冷却水量 Q 为 18000m³/h,逼近度为 9.5℃,水温差为 10℃,根据逼近度与水温差查表 3.2.4,得 $k=1.10$,将水量与 k 值代入公式(3.2.4),求得湿球温度增加值为 1.02℃≈1℃。就是说,对于这个循环冷却水系统,设计湿球温度应该在原气象资料湿球温度的基础上增加1℃。

3.2.5 本条是结合我国现有工程实际布置情况制订的。

1 长轴在同一直线上的相邻塔排,净距不小于4m,主要是考虑施工期间基坑开挖和两塔排基础间的结构间距以及运行管理、

· 58 ·

检修通道的要求。

2 长轴不在同一直线上、平行布置的相邻塔排,净距不小于冷却塔进风口高度的4倍,这是冷却塔通风的最低要求。

3.2.6 本条是新增内容。塔排的布置不外乎以下情况:

(1)两塔排长轴垂直于夏季主导风向,长轴在同一条直线上。塔排的间距大于两塔排的平均长度时,干扰最小,如图5(a)所示。

(2)两塔排的长轴平行于夏季主导风向,塔排间距大于两个塔排的平均长度时,干扰最小,如图5(b)所示。

(3)塔排的长轴与夏季主导风向呈45°角,两个塔排沿夏季主导风向垂直方向上的距离应大于其平均长度,此时干扰最小,如图5(c)所示。

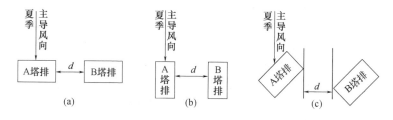

图5 塔排布置

查阅国外有关规范,不论塔排的长轴是垂直还是平行于最热季主导风向,塔排的长轴是在同一直线上,还是不在同一直线、平行双列或多列布置,或者是塔排长轴呈一定夹角布置,塔排之间的间距只要满足大于或等于两塔排的平均长度,就可以不考虑干扰的影响,否则应考虑干扰的影响,对设计湿球温度进行修正。

3.2.7 本条是新增内容。国内关于塔排间距的研究成果较少,随着工业装置的大型化,循环水装置也在大型化,一组冷却塔塔群往往有几十间塔,由此而导致的区域气候的变化不容忽视。目前,国际上已经有采用流场模拟方法精确计算冷却塔排回流与干扰影响的先例,国内也有类似的经验,但应用尚不普遍。随着计算机技术的发展,流场数字模拟已经比较容易做到了,因此对于大型冷却塔塔群,湿球温度的修正值宜通过流场数字模拟实验或同类型塔排的实际经验确定。

3.2.8 本条是新增内容。一些小型工业冷却塔或建筑物上的冷却塔,出于美学和降噪的考虑,需要用围护板把冷却塔屏蔽起来,在这种情况下,冷却塔与屏蔽装置之间应保证气流畅通和最大围护空间,否则难以保证冷却塔的正常运行,这种情况在民用建筑冷却塔中特别多。

3.2.9 冷却塔在厂区总平面规划中的位置应当根据生产工艺流程的要求、冷却塔与周围环境之间的相互影响等因素综合确定。

1 为避免或减轻冷却塔的漂滴、水雾对厂区主要建筑物和露天配电装置的影响,冷却塔应布置在厂区冬季主导风向的下风侧。

2 本款主要是为了防止粉尘影响和污染冷却塔。

3 露天热源,如高炉,石油化工厂和化肥厂的露天加热设备、火炬等,会使进入冷却塔的空气参数长时间高于设计值,导致冷却塔的冷却效果达不到设计要求。

4 机械通风冷却塔与相邻建筑物的净距不宜小于塔的进风口高度的 2 倍的规定,是为了满足冷却塔的通风要求。冷却塔的进风条件和气流扩散对冷却塔的性能影响至关重要,因此冷却塔要布置在通风条件良好的场所。

5 冬天,尤其是北方寒冷地区,机械通风冷却塔运行时,湿热空气排出塔外与冷空气混合,由于冷却和凝缩形成许多含有微小液滴的雾团,在冷却塔的风筒出口形成羽雾,周围生产装置被水雾笼罩,能见度极低,还会造成地面结冰等问题。因此冷却塔布置应考虑羽雾对生产装置的影响。

6、7 冷却塔布置宜远离噪声敏感区,不宜布置在防爆区域,在冷却塔布置时就应统筹考虑。

3.3 冷却塔防护

3.3.1 寒冷地区的冷却塔,冬季运行中的最大危害是冷却塔的结冰。冷却塔结冰后,不仅影响冷却塔的通风、降低冷却效率,严重时还会造成淋水填料塌落、塔体结构和设备的损坏。冷却塔易结冰的部位、原因及危害有以下几个方面:

(1)进风口处结冰。这是一种最常见的结冰形式,各种类型冷却塔的进风口处均有可能结冰。逆流式冷却塔一般是在进风口上、下缘及两侧结冰。横流式冷却塔会因进风口百叶窗内缘挂冰及顶部进水槽漏水,造成进风口支柱和百叶窗外侧大面积结冰。进风口处结冰的主要原因是冷却塔淋水填料外围水量过小,沿塔壁下流的少量水在进风口上缘或挡水檐边缘滞留时间过长,遇冷空气而结冰。进风口处结冰除对冷却塔的混凝土有破坏作用外,还影响冷却塔的进风,使塔的冷却效果降低。

(2)淋水填料结冰。淋水填料的大面积结冰是由于冷却塔的热负荷及水量过小,造成淋水填料底部挂冰,淋水填料大面积塌落。

(3)塔顶结冰。当收水器除水效果较差时,水滴随出塔空气飘出塔外,落在塔顶平台及风筒上造成结冰。塔顶的结冰除对冷却塔结构造成危害外,还影响运行人员的安全。

(4)冷却塔周围地面结冰。当收水器的效率较低时,大量水滴飘落在冷却塔周围,造成冷却塔周围地面结冰。这种结冰主要影响运行人员的安全巡视及冷却塔附近的交通安全。

(5)风机叶片表面结冰。当冷却塔的格数较多时,冬天常有一些塔格不运行,运行的冷却塔排出的水汽飘落到停止运行的塔格风机叶片上,在叶片表面结冰。如果不对这些结冰的叶片进行融冰处理,在启动运行时,因叶片的静、动平衡失调,将引起风机振动,严重时会造成风机及塔体结构的损坏。

(6)除上述冷却塔本身的冰冻之外,塔的进水干管阀门或集水池也会因为冷却塔停止运行而导致进水阀门、集水池池壁冻裂的事故。

多年来,国内很多生产运行单位和设计单位在冷却塔的防冰方面积累了丰富的经验,国外的一些成熟经验也可借鉴。本条给出的是一些机械通风冷却塔常用的防冻方法。

3.3.2 本条为新增条文,内容涉及冷却塔运行、监测、检测的安全。关于检修平台的设置,一般钢筋混凝土冷却塔都应设置检修平台,并且检修平台应做成篦子板形式,尽量减小对风筒出风的影响。

3.3.3 本条是新增内容,是对冷却塔噪声的原则规定。国家环境保护部门对城市环境的噪声视不同类型的区域有不同的标准。机械通风冷却塔的噪声是由配水、淋水及水滴落入集水池时产生的撞击声、风机和传动机构产生的风声和机械传动噪声等构成。据国外和国内的一些资料介绍,各种不同类型的冷却塔,在距塔外缘10m、距地面 1.2m 处测得的噪声约为 70dB(A)～80dB(A)。

3.3.4 本条为新增内容。冷却塔常用结构材质有钢筋混凝土、钢结构,塔内有金属配水管以及金属紧固件,这些材料都不耐腐蚀,所以在含有腐蚀性污染物的循环水中运行的冷却塔应进行相应的防腐处理。如冷却水中含有污染物,还应对集水池进行防腐、防渗处理。

3.3.5 本条为新增内容。老化是塑料制品的特点,玻璃钢也不例外,在紫外线、风沙雨雪、化学介质、机械应力等作用下,老化会导致塑料、玻璃钢复合材料的强度和韧性降低。因此冷却塔中的塑料与玻璃钢制品应添加防老化剂,以延长塑料与玻璃钢制品的使用寿命。

3.3.6 本条是新增内容。

3.3.7 本条是新增内容。在寒冷地区,一年中有数个月的平均温度低于零度,有些地区甚至达到零下几十度,致使冷却塔在冬季运行时产生“白烟”现象,也就是羽雾非常严重,造成生产装置周围能见度低,同时造成冷却塔顶部平台、周围地面结冰等问题,对工厂的安全生产影响很大。寒冷地区冷却塔在设计时就要考虑采取降低水雾的措施。本次规范修订,调研了大庆、天津等地石化企业冬季冷却塔运行状况,这些企业中的部分冷却塔经消雾改造后,取得了一定的消雾效果。

3.3.8 本条是新增内容。水资源匮乏是世界性的问题,尤其在中国的西北地区,水资源短缺尤为严重。水已经成为缺水地区工业发展的瓶颈,电力、纺织、石油化工、造纸、冶金等行业属于高耗水行业,而循环冷却水的补充水在工业生产用水中占比很大,因此如何减少循环水消耗量就显得尤为重要。

冷却塔的节水措施主要包括:提高收水器收水效果;在收水器上层的进风窗立面增设露点调节装置,调节风筒出口羽雾的露点;优化上塔进水管路,上塔热水可以先通过露点调节装置后再进入主配水管,也可以直接进入主配水管;进水方式可根据不同季节工况,通过阀门来调节,实现节水、节能运行;在塔内增设干段,如冷却盘管、翅片管、冷凝模块等。目前在寒冷地区已经运行的节水塔形式有节水消雾冷却塔、带翅片管的闭式冷却塔和增湿型空冷器等。

3.3.9 本条是新增内容。在多风沙地区,如包头地区,最大风速可达 24.0m/s,扬起大量沙尘,为了确保冷却塔的可靠运行,需要采取防止或减少沙尘进入冷却塔的措施,如抬高集水池顶面至地面的高度、设置可调节的进风格栅或百叶窗、专门设计的挡风装置等。

4 气 象 参 数

4.0.1 本条规定了收集气象资料时选择气象台(站)的原则。实际工程中,冷却塔拟建地往往没有国家气象台(站),如一些大型水面附近、山谷等容易形成小气候地点。必要时,可在冷却塔拟建地设短期气象观测站,用短期观测资料,求取与国家气象台(站)观测资料的相关关系,只有相关关系较好的气象台(站)的资料,才可经必要的修正后供设计使用。

4.0.2 根据对某些城市连续 5 年和 10 年的气象资料进行频率统计的结果,两条频率曲线基本重合,日平均干球或湿球温度,两种年限的统计结果,在相同频率时相差仅 0.1℃～0.2℃,为减少资料的收集及统计计算工作量,采用连续 5 年的资料就能够满足设计精度的要求。对于常规的开式冷却塔,设计气象参数采用近期连续不少于 5 年中的每年最热时期 3 个月的日平均值,以保证冷却塔在最热月能够满足冷却要求。

4.0.3 设计单位对日平均气象参数的取值方法可归纳为以下4 种:

(1) 取国家气象部门统一规定的一昼夜 4 次标准时间(每天的 2:00、8:00、14:00、20:00)测值的算术平均值作为日平均值;

(2) 取每天 24h 的 24 次测值的算术平均值作为日平均值;

(3) 取每天的 8:00、14:00、20:00 三次测值的算术平均值作为日平均值;

(4) 取每天 14:00 测值作为日平均值。

按第(3)和第(4)种方法取值无疑会使计算气温增高,使冷却塔尺寸增大。

对国内某些城市的湿球温度分别按第(1)和第(2)两种方法计

64

算日平均值,其结果表明,不同频率时的日平均湿球温度相差甚小。为便于气象资料的收集和简化统计计算工作,以一昼夜4次标准时间测值的算术平均值作为日平均值,从精度和统计工作量上说都是适宜的。

目前,气象数据的测定已经实时化,气象数据的统计也已经电算化,如果条件许可,气象参数的统计可以采用近期连续不少于5年、每年最热时期3个月的逐时日平均值。

4.0.4 湿球温度是冷却塔设计的重要参数,设计湿球温度越高,为达到工艺设计的冷却水温所需要的冷却塔尺寸就越大。如果采用能观测到的最高温度和湿度进行计算,虽然能完全满足工艺要求,但会使冷却塔增大、投资增加,技术经济性不一定好。如果用于计算的空气温度和湿度较低,虽然冷却塔尺寸可以减小,但在炎热季节,循环冷却水的温度长时间高于工艺允许的最高水温,会影响工艺过程。因此应恰当地确定气象条件,使得用这样的气象条件设计的冷却塔的尺寸既能满足工艺过程要求,又能在常年运行中得到较好的经济效益。

英国冷却塔规范BS-4485规定:根据不同工艺过程的需要,选择历年炎热时期(一般以4个月计)频率为1%～5%的小时湿球温度值作为设计气象条件。例如,在英国,选时间频率为1%的湿球温度值是19℃,即夏季4个月中的湿球温度有1%的小时数大于19℃,也就是说冷却塔如按湿球温度为19℃的气象条件设计,其冷却能力有1%的小时数不能保证,相当于有1.22天不保证。

美国冷却塔设计最高计算水温的气象条件是按夏季(6月～9月)湿球温度频率统计方法计算的频率为2%～10%的小时气象参数,频率值由业主根据工程条件选定。

现行国家标准《小型火力发电厂设计规范》GB 50049中规定:循环供水系统冷却水的最高计算温度应采用近期连续不少于5年、每年最热时期(可采用3个月)的日平均值,以湿球温度频率统计方法求得的频率为 10％的日平均气象条件确定。

我国石油、化工、纺织和机械系统的设计单位是以每年夏季不超过 5 个最热天的日平均湿球温度及对应的干球温度的多年平均值作为气象条件的最高计算值。

综合各工业系统的需要与习惯，同时使设计人员通过现有的设计手册能够取得设计气象参数，本规范规定，采用多年平均的每年最热 3 个月中最热天数不超过 5d(化工、石化、棉纺)～10d(钢铁、电力)的日平均湿球温度作为设计湿球温度，并以与之相对应的日平均干球温度、大气压力作为设计干球温度、大气压。个别对冷却水温要求较严格或要求不高的工艺过程，在充分论证的基础上，可提高或降低设计湿球温度。

以每年最热季 3 个月中不超过 5～10 个最热天的日平均湿球温度及对应的干球温度的多年平均值作为最高温度计算值，该方法清楚简单，比频率统计法的工作量小，易于实施，并能保证精度，同时国内各工业系统亦习惯于采用此方法确定冷却塔的设计湿球温度，故本规范推荐此方法。

4.0.5 近年来，我国气象系统普遍采用湿敏电阻等传感器进行湿度测量，用露点法的冷镜湿度表作为二级标准器标定。考虑到冷却塔的设计和测试与湿球温度关系密切，所以本条规定，不论是设计还是测试，不论是采用气象资料还是仪器测量，不论仪器测量采用什么方法，都需查算到阿斯曼湿球温度(我国称通风干湿表湿球温度)。

当只能取得相对湿度气象参数时，可以利用国家气象局编制的《湿度查算表》(甲种本)一书查算到阿斯曼湿球温度。以 A 地气象条件为例，当地大气压为 960.8mbar，干球温度为 27℃，相对湿度为 41.9％，查算其阿斯曼湿球温度。首先根据干球温度和相对湿度，查《湿度查算表》一书的表 2(湿球未结冰部分)，得到1000mbar 时，百叶箱通风干湿表的湿球温度为 18.1℃，气压修正值 n 为 15；然后查《湿度查算表》一书的附表 2(通风干湿表)，当实际气压为 961mbar(查表时小数点后四舍五入)和气压的修正值 n 为 15 时,查得气压温度修正值 Δt_w 为 0.15℃,此时,阿斯曼湿球温度为百叶箱通风干湿表的湿球温度(18.1℃)减去气压温度修正值 Δt_w(0.15℃),最终结果为 17.95℃。

只要湿球温度的测量是以阿斯曼干湿表作为标准器比对的,则与冷却塔测试使用的湿球温度在计量上是统一的,而冷却塔测试若用其他湿球温度计时则需修正。

5 设 计 计 算

5.1 热力计算中常用参数计算

5.1.1 本条所列的饱和水蒸气压力计算公式又叫"纪利公式",国内的教科书、标准规范都是用这个公式来进行冷却塔的热力计算,该公式的空气温度适用范围是 0℃～100℃,对于常规的敞开式冷却塔,"纪利公式"是适用的。近年来,随着节水与环境保护要求的提高,出现了节水型、消雾型的冷却塔,冷却塔的消雾、节水计算时,需要进行 0℃ 以下的水蒸气相关参数的计算,原"纪利公式"的温度适用范围不能满足消雾、节水计算要求,0℃ 以下采用"纪利公式"计算时,会出现不合理的结果。最新版的美国暖通空调工程师协会手册 ASHRAE 2013 版(以下简称"ASHRAE2013 版")采用下列公式计算饱和水蒸气压力:

(1)当 $-100℃ < t < 0℃$ 时:

$$\ln A = \frac{-5.6745359 \times 10^3}{T} + 6.3925247 - 9.6778430 \times 10^{-3} T +$$
$$6.2215701 \times 10^{-7} T^2 + 2.0747825 \times 10^{-9} T^3 -$$
$$9.4840240 \times 10^{-13} T^4 + 4.1635019 \ln T \qquad (1)$$

(2)当 $0℃ \leqslant t < 200℃$ 时:

$$\ln A = \frac{-5.8002206 \times 10^3}{T} + 1.3914993 - 4.8640239 \times 10^{-2} T +$$
$$4.1764768 \times 10^{-5} T^2 - 1.4452093 \times 10^{-8} T^3 +$$
$$6.5459673 \ln T \qquad (2)$$

$$p'' = 0.001A \qquad (3)$$

式中:p''——饱和水蒸气压力(kPa);

T——绝对温度(K),$T = t + 273.15$。

当需要进行 0℃ 以下的饱和水蒸气压力计算,或需要将计算结果与美国冷却塔协会(CTI)的软件计算结果比较时,可以采用式(1)和式(2),因为 CTI 软件采用的是 ASHRAE 的计算公式。为了与国内现行的标准规范一致,本条饱和水蒸气压力的计算仍采用"纪利公式"。

5.1.2 空气的相对湿度可由气象部门提供,也可以通过本条给出的公式计算。"ASHRAE2013 版"公式由于考虑了空气的含湿量分为饱和空气含湿量与不饱和空气含湿量,相对湿度的计算公式与本条给出的公式不同,此处给出"ASHRAE2013 版"中相对湿度的计算公式,供比较时参考,具体见以下公式:

$$\varphi = \frac{U}{1 - \frac{(1-U)p_\theta''}{p}} \tag{4}$$

$$U = \frac{x_\theta}{W_\theta} \tag{5}$$

式中:φ ——空气相对湿度;

$\quad U$ ——饱和度;

$\quad x_\theta$ ——空气温度等于 $\theta\,℃$ 时的不饱和空气含湿量[kg/kg(干空气)];

$\quad W_\theta$ ——空气温度等于 $\theta\,℃$ 时的饱和空气含湿量[kg/kg(干空气)]。

5.1.3 本条给出的空气含湿量的计算公式假定空气是饱和的。"ASHRAE2013 版"的公式由于考虑了空气的含湿量分为饱和空气含湿量与不饱和空气含湿量,并且考虑了 0℃以上和 0℃以下的区分,计算公式与本条给出的公式不同,其中,饱和空气含湿量的计算与本条给出的公式基本相同,具体公式如下:

(1)饱和空气含湿量宜按下式计算:

$$W_s = 0.621945 \frac{p_\theta''}{p - p_\theta''} \tag{6}$$

(2)不饱和空气含湿量宜按下式计算:

当 $\theta < 0℃$ 时:

69

$$x = \frac{(2830 - 0.24\tau)W_\tau - 1.006(\theta - \tau)}{2830 + 1.86\theta - 2.1\tau} \qquad (7)$$

当 $\theta \geqslant 0°C$ 时：

$$x = \frac{(2501 - 2.326\tau)W_\tau - 1.006(\theta - \tau)}{2501 + 1.86\theta - 4.186\tau} \qquad (8)$$

式中：W_s——饱和空气水蒸气含量[kg/kg(干空气)]；

$\quad\quad x$——空气含湿量[kg/kg(干空气)]，当相对湿度为 100% 时，$x = W_s$；

$\quad\quad W_\tau$——湿球温度下的饱和空气含湿量[kg/kg(干空气)]；

$\quad\quad p$——大气压力(kPa)；

$\quad\quad p''_\theta$——空气温度等于 $\theta°C$ 时的饱和水蒸气分压力(kPa)；

$\quad\quad \theta$——空气干球温度(°C)；

$\quad\quad \tau$——空气湿球温度(°C)。

5.1.4 "ASHRAE2013 版"中湿空气比焓的计算公式如下：

$$h = 1.006\theta + x(2501 + 1.86\theta) \qquad (9)$$

5.1.5 "ASHRAE2013 版"中饱和空气比焓的计算采用下式：

$$h'' = 1.006t + 0.621945\frac{p''}{p - p''}(2501 + 1.86t) \qquad (10)$$

5.1.6 "ASHRAE2013 版"中湿空气密度计算采用下式：

$$\rho = \rho_d + \rho_s = \frac{p}{0.287042(1 + 1.607858x)(273.15 + \theta)}(1 + x) \tag{}$$

$$(11)$$

5.2 逆流式冷却塔工作特性

5.2.1 逆流式与横流式冷却塔工作特性的热力计算有压差动力法和焓差动力法两种计算方法。由于焓差法具有求解简便的优点，得到世界各国工程技术人员的普遍应用，而且我国有关部门在冷却塔的热力实验中基本上都采用焓差法整理实验数据，因此本规范推荐采用焓差法。

本规范修订前，逆流塔冷却数的计算公式如下：

70

$$\Omega_{n} = \frac{k_{a}V}{Q} - \frac{1}{K}\int_{t_2}^{t_1}\frac{C_{w}dt}{h'' - h} \tag{12}$$

公式(12)与本规范公式(5.2.1-1)的差别是,公式(5.2.1-1)等号右边分母上的K移到了等号左边的分子上。K指蒸发水量带走的热量系数($K<1.0$,无量纲,是别尔曼对焓差法的贡献)。但是关于K的使用,国内有关教科书、标准规范不统一,K究竟是放在等号左边,还是放在等号右边,国内有不同的观点,但是无论K是在等号左边,还是在等号右边,冷却塔设计计算时采用的公式应与填料实验整理采用的计算公式一致。如果冷却塔设计计算时考虑了K,而填料实验数据整理计算时没有K,则设计偏于保守。反之,冷却塔设计计算时没有考虑K,而填料实验数据整理计算时有K,则设计能力可能不足。冷却塔设计计算时务必注意这一问题。本次修订时,征求了国内冷却塔界专家的意见,将K放在公式的左边,这样做与现行国家标准《工业循环水冷却设计规范》GB/T 50102中的公式一致。

本次修订时,查阅了美国、英国、日本、韩国等的相关技术资料,包括美国CTI标准及软件包,计算中均没有考虑K,如果为了计算比较,可将公式(5.2.1-1)中的K去掉。

5.2.2 本条在修订时对原条文的辛普逊积分求解方法进行了简化,主要是考虑到目前可以通过计算机进行冷却数的精确计算,没必要再规定辛普逊积分的分段数。本条只给出了冷却数积分计算可以采用的方法。切比雪夫四点积分法也是国际上习惯采用的计算方法,故此作为冷却数的积分计算的方法列出。但是辛普逊积分法是国内常用的冷却数的计算方法,故此在条文说明中给出切比雪夫四点积分法与辛普逊积分法的具体方法。

冷却数积分公式的近似解法有多种,国际上通用的是切比雪夫积分法。常用的积分计算方法如下:

(1)切比雪夫积分法。

$$\int_{t_2}^{t_1}\frac{C_{w}dt}{h'' - h} \approx \frac{C_{w}\Delta t}{4}\left(\frac{1}{\Delta h_1} + \frac{1}{\Delta h_2} + \frac{1}{\Delta h_3} + \frac{1}{\Delta h_4}\right) \tag{13}$$

· 71 ·

式中：$\Delta h_1 = h''_{(t_2+0.1\Delta t)} - (h_1 + 0.1\Delta h)$，$\Delta h_2 = h''_{(t_2+0.4\Delta t)} - (h_1 + 0.4\Delta h)$，$\Delta h_3 = h''_{(t_1-0.4\Delta t)} - (h_2 - 0.4\Delta h)$，$\Delta h_4 = h''_{(t_1-0.1\Delta t)} - (h_2 - 0.1\Delta h)$。

该近似积分法与辛普逊积分法相比较，取小数点后 3 位有效数字相同时，相当于 6 段～8 段辛普逊积分法，而当与 20 段辛普逊积分法相比较时，最大误差为 0.336%。此法在英、美、日等标准中通用，在国内使用不如辛普逊近似积分法普遍。

（2）辛普逊积分法。

$$\int_{t_2}^{t_1} \frac{C_{\mathrm{w}}\mathrm{d}t}{h''-h} \approx \frac{C_{\mathrm{w}}\Delta t}{3n}\Big\{\frac{1}{h''_1-h_2} + \frac{4}{h''_{(t_1-\delta t)}-(h_2-\delta h)} +$$

$$\frac{2}{h''_{(t_1-2\delta t)}-(h_2-2\delta h)} + \frac{4}{h''_{(t_1-3\delta t)}-(h_2-3\delta h)} + \cdots +$$

$$\frac{2}{h''_{[t_1-(n-2)\delta t]}-[h_2-(n-2)\delta h]} +$$

$$\frac{4}{h''_{[t_1-(n-1)\delta t]}-[h_2-(n-1)\delta h]} + \frac{1}{h''_2-h_1}\Big\} \qquad (14)$$

$$h_2 = h_1 + \frac{C_{\mathrm{w}}\Delta t}{K\lambda} \qquad (15)$$

式中：n ——分段数；

$h''_{(t_1-\delta t)}$、$h''_{(t_1-2\delta t)}$、$h''_{(t_1-3\delta t)}$、$h''_{[t_1-(n-2)\delta t]}$、$h''_{[t_1-(n-1)\delta t]}$ —— 对应水温度为 $t_1-\delta t$、$t_1-2\delta t$、$t_1-3\delta t$、$t_1-(n-2)\delta t$、$t_1-(n-1)\delta t$ 时的饱和空气焓[kJ/kg(干空气)]；

h_1 ——进塔湿空气比焓[kJ/kg(干空气)]；

h_2 ——出塔湿空气比焓[kJ/kg(干空气)]；

Δt ——进出塔水温差（℃），$\Delta t = t_1 - t_2$；

δt ——等分段的水温差（℃），$\delta t = \Delta t/n$；

Δh ——进出塔空气焓差[kJ/kg(干空气)]；

δh ——等分段的焓差[kJ/kg(干空气)]，$\delta h = \Delta h/n$。

该式中分段数 n（偶数）越高则差别越小，$n > 8$ 后其差别已在小数点后 3 位以后，过去用手工计算时，分段数越多，计算工作

· 72 ·

量越大,难以实施,故一般规定水温差不大于15℃可以采用 $n=2$ 的简化辛普逊积分法,当水温差大于15℃时,建议 $n \geqslant 4$。随着计算机的普及使用,利用计算机进行辛普逊积分法计算,分段数的多少已不是限制因素,但考虑到与采用的实验数据整理公式的一致性,避免因分段数不同带来的额外误差,故提出冷却数计算时的积分分段数应与填料实验数据整理计算分段数一致。

(3)平均焓差法。

$$\int_{t_2}^{t_1} \frac{C_w \mathrm{d}t}{h'' - h} \approx \frac{C_w \Delta t}{\Delta h_m} \tag{16}$$

$$\Delta h_m = \frac{\Delta h_1 - \Delta h_2}{2.3 \lg \dfrac{\Delta h_1}{\Delta h_2}} \tag{17}$$

$$\Delta h_1 = h_1'' - h_2 - \delta h'' \tag{18}$$

$$\Delta h_2 = h_2'' - h_1 - \delta h'' \tag{19}$$

$$\delta h'' = \frac{h_1'' + h_2'' - 2h_m''}{4} \tag{20}$$

式中：Δh_m ——平均焓差[kJ/kg(干空气)]；

h_1'' ——对应温度 t_1 时的饱和空气焓[kJ/kg(干空气)]；

h_2'' ——对应温度 t_2 时的饱和空气焓[kJ/kg(干空气)]；

h_m'' ——对应平均水温 t_m 时的饱和空气焓[kJ/kg(干空气)]；

Δh_1 ——填料进水口处的焓差[kJ/kg(干空气)]；

Δh_2 ——填料出水口处的焓差[kJ/kg(干空气)]；

$\delta h''$ ——别尔曼推荐修正值[kJ/kg(干空气)]。

平均焓差法过去常用于水温差为 6℃～15℃ 的中、小型冷却塔的计算,主要优点是用手工计算时可节省工作量,而其精度不如多段辛普逊积分法,在计算机普遍使用的今天,其优点已不存在。

这些实用解法是在总结和归纳国内外一系列的标准、专著的基础上整理提出来的。以往冷却数的计算散见于各标准与专著,适用条件不同,使计算出的冷却数有一定的差异,不具有可比性,对于工程设计和设备招标都有一定的影响,本规范对此加以规定,可避免因计算公式不同而导致的不可比性。

5.3 横流式冷却塔工作特性

5.3.1 横流式冷却塔的热力计算方法采用焓差法的理由与本规范第 5.2 节所述相同。

本规范修订前,横流塔冷却数的计算公式如下:

$$\Omega_h = \frac{k_a H}{q} = \frac{1}{K} \int_0^{z_d} \int_0^{x_d} \frac{-C_w \partial(\partial t/\partial x)/\partial z}{h'' - h} \mathrm{d}x\mathrm{d}z \qquad (21)$$

等号右边分母上的 K 移到了公式左边,修改的理由与本规范第 5.2.1 条相同,K 的计算与公式(5.2.1-3)相同。除本条中给出的冷却数的计算公式以外,横流式冷却塔冷却数的计算公式还有下面的形式:

$$\Omega_h = \frac{k_a H}{k_1 q} = \int_0^{z_d} \int_0^{x_d} \frac{-C_w \partial(\partial t/\partial x)/\partial z}{h'' - h} \mathrm{d}x\mathrm{d}z \qquad (22)$$

$$k_1 = 1 + 0.53 \frac{C_w t_m}{\gamma_m}(1 - 0.12\lambda) \qquad (23)$$

$$h = h_1 + \frac{k_1 C_w \mathrm{d}t}{\lambda} \qquad (24)$$

5.3.2 本条给出了横流式冷却塔冷却数计算的两种常用方法。横流式冷却塔冷却数计算相对复杂,而逆流式冷却塔冷却数的计算相对简单,本条给出的经验系数法,是可以根据逆流式冷却塔的冷却数求取横流式冷却塔冷却数的方法。差分法计算相对精确,在计算机发达的今天,差分法的复杂已不成问题。

除了本条给出的修正系数法和差分法以外,还有一种别尔曼近似求解法(B·努谢尔特公式),可以手算计算横流塔的冷却数,计算公式如下:

$$\int_0^{z_d} \int_0^{x_d} \frac{-C_w \partial(\partial t/\partial x)/\partial z}{h'' - h} \mathrm{d}x\mathrm{d}z = \frac{\Delta t C_w}{\Delta h_m} \qquad (25)$$

式中:Δh_m ——平均焓差[kJ/kg(干空气)]。

Δh_m 的计算方法如下：

$$\Delta h_\mathrm{m} = x_\mathrm{s}(h_1'' - \delta h'' - h_1) \quad (26)$$

其中：

$$\delta h'' = \frac{h_1'' + h_2'' - 2h_\mathrm{m}''}{4} \quad (27)$$

令：

$$\eta = \frac{h_1'' - h_2''}{h_1'' - \delta h'' - h_1} \quad (28)$$

$$\xi = \frac{h_2 - h_1}{h_1'' - \delta h'' - h_1} \quad (29)$$

根据 η、ξ 交点从图 6 求出 x_s 值，代入式(26)求出 Δh_m。

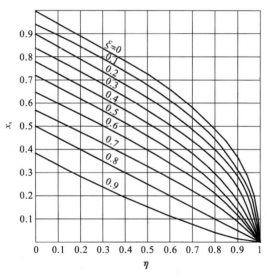

图 6　x_s 计算图

5.4　热力计算

5.4.1　热力工作点计算就是用塔的工作特性曲线与填料的热力性能曲线求交点。其计算原理简单明确，但实际工作中常因没有对二者采用的计算公式是否在同一基础进行核查,而直接按其表达式求交点,结果导致较大误差;又如资料的依据条件与工程设计条件不相同,应引入必要的修正系数,否则所求交点也会产生较大误差。纵观这些误差都是由于求交点不规范所致,故本条提出应注意的问题,以利于提高计算精度。冷却塔的热交换性能通常以冷却数 Ω、容积散热系数 k_a 的经验关系式表示:

$$\Omega = A\lambda^m \tag{30}$$

$$k_a = kg^{m'}q^nt_1^p \tag{31}$$

式中: $\quad g$ ——通风密度$[kg/(m^2 \cdot s)]$;

$\qquad q$ ——淋水密度$[kg/(m^2 \cdot s)]$;

$\qquad t_1$ ——进水温度(℃);

$\quad A、k$ ——常数;

$m、m'、n、p$ ——经验指数。

常数 $A、k$ 和指数 $m、m'、n、p$,均需通过原型塔或模拟塔实验求得。实验塔在布水、布风等方面与实塔均有较大的差距,依据国内外有关资料,在使用模拟塔实验成果时,宜取采用 $0.50 \sim 1.00$ 的修正系数。

式(30)中的 Ω 有些资料是用 N 表示,含义相同仅符号不同。式(31)中的 k_a 有些资料是用 β_{xv} 表示,两者数值相同,但含义不同, k_a 是以焓差为动力的散热系数,而 β_{xv} 是以含湿差为动力的散质系数。确定热力工作点的方法与步骤如下:

先做塔(填料)的特性(characteristic)曲线,令:

$$\Omega_0 = K\Omega = KA\lambda^m \tag{32}$$

给定不同的 λ 值后可得不同的 Ω_0, Ω_0 随 λ 增大而增加。再做塔的任务曲线:在气象条件 p、θ、τ 和进出塔水温 t_1、t_2 选定的条件下,按第 5.2.1 条的 Ω_n 计算公式(或按第 5.3.1 条的 Ω_h 计算公式),给定不同的 λ 值,计算可得不同的 Ω_n(或 Ω_h)值, Ω_n(或 Ω_h)随 λ 的增大而减小。当 $\Omega_0 = \Omega_n(\Omega_h)$ 时所对应的 λ 值即为所求设计工作点的气水比 λ_0。

5.4.2~5.4.4 给出了几种需要修正的情况,具体修正系数的选取通常根据经验确定。本次修订,将原规范第 5.4.1 条第 4 款的修正因素进行整合,作为"条"列出。

5.5 阻 力 计 算

5.5.1 本条着重指出采用总阻力系数,而不是具体测定数据,以防止随机采用数据产生的误差。

5.5.2 由于原型塔的总阻力系数资料不能满足需要,实际工程设计时一般都按经验和通风工程理论计算方法,对各局部阻力分别计算,然后迭加求出总阻力,步骤重复繁琐、计算工作量大,如先换算成总阻力系数然后求总阻力,则可大大简化计算工作量。通观所有资料,大都只有原则性的叙述,对使用者指导意义不大,本条对此予以详细的介绍。

5.5.3 填料阻力的计算公式除式(5.5.3)外,目前可见到的有以下几种:

(1)
$$\frac{\Delta P_2}{\gamma_1} = A'_2 v_m^m \qquad (33)$$

(2)
$$\frac{\Delta P_2}{\rho_1} = 9.81 A'_2 v_m^m \qquad (34)$$

式(33)、式(34)均系按非法定单位测量得到的数据整理而成,再转换为以法定单位表示的公式形式。式(33)中 γ_1 以 N/m^2 表示与以 kg/m^3 表示的 ρ_1 相差 9.81 倍,式(34)为 γ_1 改用 ρ_1 表示后将 9.81 移至等式右边而成,与式(5.5.3)相比较,$A_2 = 9.81 A'_2$。

(3)
$$\frac{\Delta P_2}{\gamma_1} = A'_2 v_m^m \qquad (35)$$

式中:γ_1 ——空气重度(kgf/m^3);

ΔP_2 ——空气阻力(mmH_2O)。

式(35)为过去按非法定单位测量得到的数据,整理得到的以非法定单位表示的阻力公式,从表示形式看,与式(33)相同,但采用单位不同,式(35)中 ΔP_2 的阻力单位采用 mmH_2O 计量,而空

77

气重度采用 kgf/m^3 计量。由于式(35)中的 γ_1 与式(5.5.3)中的 ρ_1 在数值上是相同的,但式(5.5.3)中 ΔP_2 以 Pa 来计量,而式(35)中 ΔP_2 以 mmH_2O 来计量,两者相差 9.81 倍,故式(35)转换成用法定计量单位后即变为式(34)。

在设计过程中,要注意采用的填料阻力计算公式的形式和单位是否与本规范采用的式(5.5.3)相同,如不同,应换算后采用。

由于有关填料阻力特性公式的资料是在不同时期整理出来的,所表示的具体公式有所不同,容易搞错,故本条特别提出要对其先进行鉴别,然后根据情况合理使用。

5.5.4 本条提出了塔的总阻力计算公式。式(5.5.4)中对塔体阻力与填料阻力分别乘以调整系数,供计算者在工程设计时按实际情况采用适当的数值,根据以往工程设计实践经验,此调整系数大于 1.0,在 1.0~1.2 之间变化,而且塔体阻力调整系数与填料阻力调整系数不一定相同。

5.5.5 风机工作点风压风量的推求原理是用塔的阻力特性曲线与风机特性曲线求交点,看似简单,实际计算时往往出错,错误的表现形式归纳起来有以下几个方面:

(1)把风机的特性曲线 H_0-G_0 看成是固定不变的,直接将塔的特性曲线 ΔP-G 与其求交点,这样所求的交点并非实际工作点。这是因为制造厂提供的风机特性曲线是指标准状态即空气密度 $\rho_0 = 1.2 kg/m^3$ 时的 H_0-G_0 值,如果风机工作场所的空气密度 ρ 不是 $1.2 kg/m^3$,则风机特性要发生改变,即自动变成另一条特性曲线。如对于鼓风式冷却塔,通过风机的空气密度为 ρ_1,则风机实际工作时的特性曲线变为 H_{01}-G_{01},对于抽风式冷却塔,通过风机的空气密度为出塔空气密度,风机实际工作时特性曲线变为 H_{02}-G_{02},其中 $G_{01} = G_{02} = G_0$,即体积风量相同,但风压不同,分别为 $H_{01} = (\rho_1/\rho_0)H_0$ 及 $H_{02} = (\rho_2/\rho_0)H_0$,即风压随空气密度 ρ 成正比改变。因此要求在求交点时要将风机特性曲线换算到 H_{01}-G_{01}(用于鼓风塔)或 H_{02}-G_{02}(用于抽风塔)形式再与塔阻力特性曲线求交点。

（2）对塔的阻力特性曲线没有分情况区别对待。塔的总阻力是空气通过各部分产生阻力的总和，是体积风量由进塔时的 G_1 变化到出塔时的 G_2 整个过程所产生的阻力总和，同一数值的阻力 ΔP 可以对 G_1 也可对 G_2，即做出两条阻力特性曲线 $\Delta P - G_1$ 和 $\Delta P - G_2$。对鼓风式冷却塔只能取 $\Delta P - G_1$ 与 $H_{01} - G_{01}$ 相交求交点；对抽风式冷却塔只能取 $\Delta P - G_2$ 与 $H_{02} - G_{02}$ 相交求交点；否则就犯错位配对的错误。

（3）把风机特性曲线 $H_0 - G_0$ 的变化规律和塔的变化规律混为一谈。对冷却塔来说，通过塔的干空气质量（重量）风量不变，体积风量随 ρ_d 的变化成反比变化，这只能用于冷却塔；而风机特性曲线是由风机构造与空气动力特性决定的，其特点正好与塔的变化特点相反，风机的变化规律是体积风量不变而风压随空气密度的变化成正比变化，二者不能混淆。在推求交点时，取 $\Delta P = H_0$，$G_0 = \dfrac{\rho_1}{\rho_0} G_1$ 是错误的，正确的解法，对鼓风机应为 $H_0 = \Delta P \dfrac{\rho_0}{\rho_1} = \dfrac{1.2}{\rho_1} \Delta P$，$G_0 = G_1$；对抽风塔应为 $H_0 = \Delta P \dfrac{\rho_0}{\rho_2} = \dfrac{1.2}{\rho_2} \Delta P$，$G_0 = G_2 = \dfrac{\rho_{1d}}{\rho_{2d}} G_1$。

（4）按上述（1）、（2）两种方法确定工作点，应做实际工况下的风机性能曲线和对应的塔阻特性曲线来求交点，制作曲线工作量大，且易产生误差。在实际工作中还可采用试算法，即选定若干个进塔风量 G_1，用式（5.5.4）算出对应的塔总阻力 ΔP，应用式（5.5.5-1）、式（5.5.5-2）算出对应的当量阻力 H_0'、当量风量 G_0'，然后与风机制造厂提供的风机标准性能曲线相比较，当曲线上某点的 H_0、G_0 值与 H_0'、G_0' 相同时，该点的 H_0、G_0 即为风机当量工作点的参数，其对应的 ΔP、G_1 值即为塔的设计工作点的塔全阻及设计进塔风量。

5.5.6 本条是新增内容。目前风机选型的常用方法是,冷却塔制造商提出一组数据,主要是温度、密度、风量、静压,风机供应商提供相应的符合条件的风机。这里需要强调,以上 4 个参数是指风机工作环境参数,如对于抽风式冷却塔,风机位于塔顶,此时的温度、密度、风量均是指出口状况下的参数,与入口相比已经发生很大变化,但是冷却塔制造商往往不去计算出口空气状态的数据,提供的风机参数一般偏小。另外,风机制造商的选型软件及提供的方案都是根据温度、密度、风量、静压,给出动压及相应的轴功率,此时的动压一般是空气均匀地通过风机时产生的动压,这也与实际工况不符。某工程测试数据表明,实际动压值与理论动压值的比约为 1.18。因此计算的理论动压值需要修正,故本条提出修正系数宜为 1.1~1.2,在此基础上修正风机的轴功率。电机的轴功率也要按此方法加以修正。

5.5.7 出塔空气密度 ρ_2 及 ρ_{2d} 在焓差法热力计算中没有涉及,故而在空气动力计算中往往忽略 ρ_2 的变化,仅按 ρ_1 进行计算,以致塔阻计算结果偏小,选用的风机工作点也偏低,使冷却塔达不到设计要求,ρ_2、ρ_{2d} 的作用是不能忽视的。此处给出 ρ_2 及 ρ_{2d} 的计算方法,以满足设计需要。

出塔空气密度 ρ_{2d}、ρ_2 一般难以用理论公式直接计算,主要原因是出塔空气的相对湿度接近 100%,从一些冷却塔的出塔空气实测资料来看,($\theta_2 - \tau_2$)约在 0℃~1.2℃ 范围内变化,多数为 0.2℃~0.4℃,此差值与多种因素有关,如气水比,进塔空气的干、湿球温度与进出塔水温间的相对温度差,冷却塔的结构及空气分布均匀状态等诸多因素,尚无资料可将各因素的影响用公式计算。本次修订,保留了试算法求出塔干空气球温度,再根据求取的干球温度,计算出塔空气密度的方法,删除了原规范附录 C 根据实测资料,回归求取冷却塔出塔空气密度的计算公式。

5.6 水 量 计 算

5.6.1 本条给出冷却塔的设计水量计算公式,引入了安全调整系

数 K_Q，主要考虑冷却塔是按清水计算的，如果循环水中带进某些介质对冷却效果有影响，则应乘以调整系数，此系数宜通过使用经验来确定。

5.6.2 表 5.6.2 的数据是采用前苏联给水设计规范。除了本条给出的查表法计算蒸发水量以外，关于蒸发损失水量的计算还有以下公式：

(1)《敞开式循环冷却水处理系统的化学处理》(化学工业出版社，2006)一书中给出的蒸发水量的计算公式如下：

$$Q_e = \frac{(0.1 + 0.002\theta)Q\Delta t}{100} \quad\quad (36)$$

式中：Q_e——蒸发水量(m^3/h)；

$\quad\quad Q$——循环冷却水量(m^3/h)；

$\quad\quad \theta$——空气的干球温度(℃)。

(2)现行国家标准《工业循环水冷却设计规范》GB/T 50102中指出，对进入和排出冷却塔的空气状态进行详细计算时，蒸发损失水率按下式计算：

$$P_e = \frac{G_d}{Q}(x_2 - x_1) \quad\quad (37)$$

式中：G_d——进塔干空气质量流量(kg/s)；

$\quad\quad x_2, x_1$——出塔、进塔空气的含湿量[kg/kg(干空气)]。

如果按蒸发损失水量计，则蒸发水量计算公式则为：$Q_e = G_d(x_2 - x_1)$。采用式(37)计算的难点是 x_2 的计算。

此外，还有美国 CTI 的计算公式、美国 ASHRAE 手册中给出的计算公式。对这些公式的计算比较表明，在冷却塔常用设计条件下，用本条给出的蒸发水量的计算公式计算出的蒸发水量是比较小的。当然，缺水地区，有节水要求的项目，蒸发损失水量最好采用式(37)进行精确计算。

5.6.3 冷却塔的风吹损失主要与塔的通风方式(自然通风或机械通风)、淋水填料的型式(点滴式或薄膜式)、配水喷嘴的型式和喷溅方向(上喷或下喷)、收水器的型式、收水效率、逸出水率以及冷却塔的冷却水量、塔内风速(特别是收水器断面风速)等因素有关。

英国《冷却塔设计规范》BS—4485规定,对于安装收水器,并在塔的进风口采取防溅和回收溅水措施的冷却塔,从估算补给水量的角度,冷却塔的风吹总损失按循环水量的0.015%计算足够。本规范确定风吹损失百分率取0.01%,这个参数主要是用来确定补充水泵设计流量的,不是衡量收水器收水效果的指标。

5.6.4 本条是新增内容,是为了适应精确计算冷却塔节水需求而提出的。根据目前的技术水平,节水型冷却塔的主要节水途径:一是采用高效收水器,回收更多的出塔空气中夹带的水滴;二是减少冷却所需的蒸发水量,减少蒸发水量。相应的措施,一种是在湿式冷却塔的基础上增加干式冷却,节约一部分蒸发水量;另一种是采用出塔水蒸气和飘滴回收装置,回收一部分出塔空气中的水蒸气和夹带的水滴。对于节水型冷却塔,应通过精确计算节水塔与普通湿式冷却塔的进塔和出塔空气水蒸气的含量来计算节水量。

在计算节水型冷却塔的节水量时,如果增加的热交换器能够改变冷却塔入口的进塔空气状态,如提高焓值、温度等,采用热负荷比较的方法确定节水率,会人为增大节水率,造成节水量、节水率计算的失真,所以不建议采用热负荷比较的方法来确定节水率。

从原理上说,无论何种冷却塔节水措施,若把冷却塔及节水装置作为一个系统时,就能计算出系统出口与入口的水蒸气含量的增量,这个增量的减少就是节水型冷却塔节约的水蒸气量。节水型冷却塔节约的水量与普通湿式冷却塔耗水量的比值就是节水率。分别计算每年12个月月平均气候条件(大气压力、空气干球温度、空气湿球温度)下的节水量,加权平均后得出年平均节水量,这对于一年四季都采用同一个节水模式的节水冷却塔是合适的,而对于采用不同节水模式的节水型冷却塔,需要区分模式和时间段进行加权平均。

由于我国的节水型冷却塔主要集中在富煤地区,即鄂尔多斯、榆林、宁东、伊犁等地,这些地区的气候条件类似,都是比较干燥的缺水地区,为便于设计与比较,节水型冷却塔的标准设计条件可以采用下列气象条件:年平均温度取 6.2℃,年平均相对湿度取55%,年平均大气压力取 90.16kPa,这些参数是鄂尔多斯的年平均气象条件。

5.7 水 力 计 算

5.7.1～5.7.5 按不同情况分别列出水力计算公式,将常规的水力计算公式整理成适合冷却塔配水系统的专用计算公式,使计算条理化。

(1)支干管内的水压分布与喷头供水支管入口的水压分布规律:支干管为等直径直管,在侧面开一定数量的支管,支管间距相等,支管管径远比支干管的管径小,支管断面积总和与支干管断面积相近,支管间距 l 与支干管的管内径 d 相比(即 l/d)数值不大,属于短导管范畴,支干管内的水压(静压)将是进口端低而末端反而升高。这就是通常说的动压恢复现象。

从水力计算进行分析可知:支干管内的水流状态属于紊流状态,雷诺数的计算方法如下:

$$Re = vd/\nu \qquad (38)$$

式中:v——水流速度(m/s);

d——管道内径(m);

ν——水的运动黏度。

1)当用 $\Phi159\times4.5$ 钢管联结 1 个～5 个喷头支管,各喷头设计水量为 8.13m³/h 时,管内水流的雷诺数 Re_a 为:

$$Re_a = vd/\nu = (0.12786 \sim 0.6393) \times 0.15/1.01 \times 10^{-6}$$
$$= 18989 \sim 94946$$

2)当用 $\Phi325\times8$ 钢管联结 1 个～41 个喷头支管时,管内水流的雷诺数 Re_b 为:

$$Re_b = vd/\nu = (0.0301 \sim 1.2353) \times 0.309/1.01 \times 10^{-6}$$

$$= 9209 \sim 372928$$

3)当用 $\Phi720 \times 8$ 钢管,联结 10 个~246 个喷头时,管内水流的雷诺数 Re_c 为:

$$Re_c = vd/\nu = (0.058 \sim 1.428) \times 0.704/1.01 \times 10^{-6}$$
$$= 40428 \sim 995358$$

以上三例雷诺数均大于 3600,故水流全部属于紊流状态。故而支干管内水流沿程摩擦阻力造成的水力坡降可以采用以下两式计算:

当 $v < 1.2 \text{m/s}$ 时:

$$i = 0.000912 \, (1 + 0.867/v)^{0.3} v^2/d^{1.3} \tag{39}$$

当 $v \geqslant 1.2 \text{m/s}$ 时:

$$i = 0.00107 v^2/d^{1.3} \tag{40}$$

支干管内水流的局部损失,按照三通管的直流阻力用下式计算(参见 A·M·库尔干诺夫,H·Φ·菲得洛夫,《给水排水系统水力计算手册》,北京:中国建筑工业出版社,1983):

$$\Delta H_{m-(m+1)} = \xi_{m-(m+1)} v_m^2/2$$

而 $\xi_{m-(m+1)} = 0.35 \, (Q_f/Q_m)^2$,因为 $Q_f = Q_m - Q_{m+1}$,所以 $\xi_{m-(m+1)} = 0.35 \, (Q_m - Q_{m+1})^2/Q_m^2 = 0.35 \, [(v_m - v_{m+1})/v_m]^2$,代入上式得:

$$\Delta H_{m-(m+1)} = 0.35 \, [(v_m - v_{m+1})/v_m]^2 v_m^2/2$$

整理后可得公式:

$$\Delta H_{m-(m+1)} = 0.35 \, (v_m - v_{m+1})^2/2 \tag{41}$$

式中:$\Delta H_{m-(m+1)}$ ——三通管处前后的直流水力损失(kPa);

$\quad v_m$ ——三通前断面水流速(m/s);

$\quad v_{m+1}$ ——三通后断面水流速(m/s);

$\quad Q_m$ ——三通前断面过流水量(m^3/h);

$\quad Q_{m+1}$ ——三通后断面过流水量(m^3/h);

$\quad Q_f$ ——三通断面侧向分流出去的流量(即进入支管的流量)(m^3/h);

$\quad \xi_{m-(m+1)}$ ——编号为 m 的支管三通直流阻力系数;

m ——支管的序号数,取 1,2,3…。

对于具有 n 个支管的支干管,每个支管的设计流量相等,设起始断面至第一个支管间水流速为 v_0 ,则最后一个(序号为 n)喷头支管三通前的流速为 $v_n = v_0/n$,而公式(41)中 $v_m - v_{m+1} = v_0/n$,故又可推导出各个三通的直通阻力值都相同,并可以用下式表示:

$$\Delta H_{m-(m+1)} = 0.35 (v_0/n)^2/2 \qquad (42)$$

支干管全长共有 $n-1$ 个直流三通阻力损失,在最后一个支管前的直流局部损失总和按下式计算:

$$\sum_{m=1}^{m} \Delta H_{m-(m+1)} = 0.35(n-1) (v_0/n)^2/2 \qquad (43)$$

从起始断面至某一个序号为 m 的三通前的直流总阻力按下式计算:

$$\sum_{m=1}^{m} \Delta H_{m-(m+1)} = 0.35(m-1) (v_0/n)^2/2 \qquad (44)$$

对于支管等间距布置的支干管,设间距为 l ,起始断面至第一个支管间的距离为 l_1 ,起始断面至最后一个支管的支干管总长为 $L_0 = l_1 + (n-1)l$,设起始端面处的水流总水头为 P_{s1} (以管中心标高为基准线),则第一个支管三通前的总水头为:

$$H_1 = P_{s1} - 9.81i_1l_1$$

第二个支管三通前的总水头为:

$$H_2 = H_1 - 9.81i_2l - \Delta H_{1-2}$$

第三个支管三通前的总水头为:

$$H_3 = H_2 - 9.81i_3l - \Delta H_{2-3}$$

写成通式,第 m 个支管前的总水头采用下式计算:

$$H_m = P_{s1} - 9.81i_1l - 9.81(i_2 + i_3 + i_4 + \cdots + i_{(m-2)} +$$
$$i_{(m-1)} + i_m)l - 0.35(m-1) (v_0/n)^2/2 \qquad (45)$$

式中: P_{s1} ——支干管始端的总水头(kPa);

i_1 、i_2 、i_3 、…、i_m ——支干管第一段,第二段,第三段,第 m 段的水力坡降。

由公式(45)可见支干管内的总水头是随着 m 数的增大而下降,即起端高,末端低。序号为 m 的三通支管前的水流动压头按下式计算:

$$H_{\mathrm{d}m} = \left(\frac{n-m+1}{n}v_0\right)^2 \times \frac{1}{2} = \frac{1}{2}\left[\frac{n-(m-1)}{n}v_0\right]^2$$

$$= \frac{[n-(m-1)]^2\left(\frac{v_0}{n}\right)^2}{2} \tag{46}$$

相应该处水流的静压头 $H_{\mathrm{J}m}$ 为:

$$H_{\mathrm{J}m} = H_m - H_{\mathrm{d}m}$$
$$= P_{\mathrm{s}1} - 9.81 \times [i_1 l + (i_2 + i_3 + i_4 + \cdots + i_m)l] -$$
$$\{[n-(m-1)]^2 + 0.35(m-1)\}(v_0/n)^2/2 \tag{47}$$

从公式(47)可以看出,等式右边第二大项方括号内数值为累计沿程摩擦阻力,它随着支管序号 m 的增加而增大,而第三大项大括号内数值为动压头的变化系数,其中 $[n-(m-1)]^2$ 的数值随 m 值的增大成二次方关系减小,而后一项 $0.35(m-1)$ 的数值则随 m 值的增加成一次方关系增加,由于 m 是在 $1\sim n$ 范围内变动的正整数,每次增量为1,故它的正变化率低于 $[n-(m-1)]^2$ 的负变化率,随着 m 的增大,整个大括号内的数值在减小,如果第三大项减小率高于第二大项数值的增加率,则 $H_{\mathrm{J}m}$ 是随 m 的增加而增大。冷却塔配水系统支干管的 il 数值一般不大,故支干管的静压是起始端低而末端高。随支管序号的增加,而呈多段上升折线相连的曲线形状,折线斜率先大后小。

(2)供水支管入口的水压、分布规律与喷头的有效作用水头:支干管与支管联结处三通的侧向流(转弯分流)阻力远较直流为大,而且侧向流阻力系数变化的,不但是支管面积与主管面积比的函数(几何尺寸的函数),而且还是支管流量与主管流量比的函数(可变运行函数)。三通转弯处的阻力采用以下公式计算:

$$\Delta H_{\mathrm{f}} = \xi_{\mathrm{f}}\frac{v_m^2}{2} \tag{48}$$

$$\xi_{\mathrm{f}} = \varepsilon\left[1 + \left(\frac{q_m F}{Q_m f} - 2\cos\theta\right)\frac{q_m F}{Q_m f}\right] \qquad (49)$$

式中：ΔH_{f}——三通转弯分流阻力损失（kPa）；

$\qquad \xi_{\mathrm{f}}$——转弯分流阻力系数；

$\qquad Q_m$——序号为 m 的三通前流量（m³/h）；

$\qquad q_m$——序号为 m 的支管流量（m³/h）；

$\qquad F$——支干管断面积（m²）；

$\qquad f$——支管断面积（m²）；

$\qquad \varepsilon$——系数；

$\qquad v_m$——序号为 m 的三通前流速（m/s）。

由于一般情况下支管与支干管成 $90°$ 角，故：

$$\xi_{\mathrm{f}} = \varepsilon\left[1 + (q_m F)^2 / (Q_m f)^2\right] = \varepsilon(1 + v_{\mathrm{f}}^2 / v_m^2)$$

而进一步合并简化可得：

$$\Delta H_{\mathrm{f}} = \varepsilon(v_m^2 + v_{\mathrm{f}}^2)/2$$

式中：v_{f}——三通支管流速（m/s）。

上式中系数 ε 按不同条件，选用以下公式计算：

当 $\dfrac{f}{F} \leqslant 0.35$ 且 $\dfrac{q_m}{Q_m} \leqslant 0.4$ 时：

$$\varepsilon = 1.1 - 0.7\frac{q_m}{Q_m}$$

当 $\dfrac{q_m}{Q_m} > 0.4$ 时：

$$\varepsilon = 0.85$$

当 $\dfrac{f}{F} \geqslant 0.35$ 且 $\dfrac{q_m}{Q_m} \leqslant 0.6$ 时：

$$\varepsilon = 1 - 0.65\frac{q_m}{Q_m}$$

当 $\dfrac{q_m}{Q_m} > 0.6$ 时：

$$\varepsilon = 0.6$$

因而可以得出支管入口的总水头 h_m 可用下式表示：

$$h_m = H_m - \Delta H_f$$
$$= P_{s1} - 9.81[i_1 l_1 + (i_2 + i_3 + i_4 + \cdots + i_m)l] -$$
$$\frac{0.35(m-1)\left(\dfrac{v_0}{n}\right)^2 + \varepsilon(v_m{}^2 + v_f^2)}{2} \tag{50}$$

从公式(50)可看出 h_m 也是始端低，末端高，其变化幅度大于 H_{Jm}，原因是 ΔH_f 变幅较大。支管末端联结喷头，则喷头的有效作用总水头 P_{om} 为：

$$P_{om} = h_m - \sum \Delta h_f + 9.81 \Delta Z$$
$$= P_{s1} - 9.81[i_1 l_1 + (i_2 + i_3 + i_4 + \cdots + i_m)l] -$$
$$0.175(m-1)\left(\frac{v_0}{n}\right)^2 - 0.5\varepsilon(v_m{}^2 + v_f^2) - \sum \Delta h_f +$$
$$9.81(\nabla_0 - \nabla_m) \tag{51}$$
$$\Delta Z = \nabla_0 - \nabla_m$$

式中：$\sum \Delta h_f$——支管的局部阻力损失和沿程损失的总和(kPa)。

（3）喷头的流量计算通式如下：

$$q_m = 3600 \frac{\pi}{4} \Phi^2 \mu \sqrt{2P_{om}} = 3999 \mu \Phi^2 (P_{om})^{0.5} \tag{52}$$

（4）配水管水力计算示例：

如图 7 所示，共有型式尺寸均相同的 8 根支干管，因为采取对称布置，可分为水力条件完全相同的四组，故只需对 $1^\#$、$2^\#$ 两根支干管进行详细计算，即可了解整个管网的水量与水压分布情况。

1）配合管道布置方案确定喷头数和水量：由图 7 可知每根支干管上有 37 个支管和喷头，另在支干管三通附近的次干管上有一个喷头，共计 38 个喷头，全塔为 304 个喷头，设每个喷嘴设计水量为 $q_m = 10\text{m}^3/\text{h}$，则塔的总水量为 $Q = 3040\text{m}^3/\text{h}$。

2）计算主干管水力损失。

其中沿程损失：

a—b 段：

$$v_{a-b} = \frac{3040}{2 \times 3600 \times 0.7854 \times 0.514^2} = 2.035 \text{ (m/s)}$$

水力坡度：$i_{a-b} = 0.00107v^2/d^{1.3} = 0.00107 \times 2.035^2/0.514^{1.3} = 0.0105$

管段长：$l_{a-b} = 4.0 + 3.0 = 7.0 (m)$

沿程水头损失：$i_{a-b} \times l_{a-b} = 0.0105 \times 7 = 0.0735 (m)$

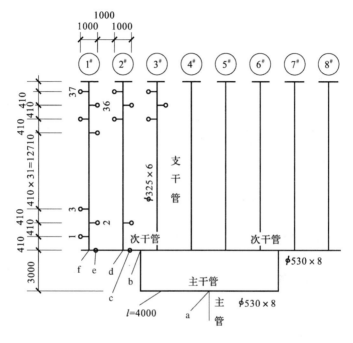

图 7 配水系统示意

b—c 段：

$$v_{b-c} = \frac{3040}{4 \times 3600 \times 0.7854 \times 0.514^2} = 1.0174 \text{ (m/s)}$$

因为 $v < 1.2 \text{m/s}$，所以水力坡度：

$$i_{b-c} = 0.000912\left(1 + \frac{0.867}{v}\right)^{0.3} v^2/d^{1.3}$$

$$= 0.000912\left(1 + \frac{0.867}{1.0174}\right)^{0.3} \times 1.0174^2/0.514^{1.3} = 0.00270$$

管段长：$l_{b-c} = 1.5\text{m}$

沿程水头损失：$i_{b-c} \times l_{b-c} = 0.00270 \times 1.5 = 0.00405(\text{m})$

c—d 段：

$$v_{c-d} = \frac{3040 \div 4 - 10}{3600 \times 0.7854 \times 0.514^2} = 1.004 \ (\text{m/s})$$

$$i_{c-d} = 0.000912\left(1 + \frac{0.867}{1.004}\right)^{0.3} \times 1.004^2 / 0.514^{1.3} = 0.00263$$

管段长：$l_{c-d} = 0.5\text{m}$

沿程水头损失：$i_{c-d} \times l_{c-d} = 0.00263 \times 0.5 = 0.00132(\text{m})$

d—e 段：

$$v_{d-e} = \frac{3040 \div 8}{3600 \times 0.7854 \times 0.514^2} = 0.5087 \ (\text{m/s})$$

$$i_{d-e} = 0.000912\left(1 + \frac{0.867}{0.5087}\right)^{0.3} \times 0.5087^2 / 0.514^{1.3}$$

$$= 0.00076$$

管段长：$l_{d-e} = 1.5\text{m}$

沿程水头损失：$i_{d-e} \times l_{d-e} = 0.00076 \times 1.5 = 0.00114(\text{m})$

e—f 段：

$$v_{e-f} = \frac{3040 \div 8 - 10}{3600 \times 0.7854 \times 0.514^2} = 0.4953 \ (\text{m/s})$$

$$i_{e-f} = 0.000912\left(1 + \frac{0.867}{0.4953}\right)^{0.3} \times 0.4953^2 / 0.514^{1.3}$$

$$= 0.00072$$

管段长：$l_{e-f} = 0.5\text{m}$

沿程水头损失：$i_{e-f} \times l_{e-f} = 0.00072 \times 0.5 = 0.00036(\text{m})$

局部损失：

a—b 段 90°弯头一个：

$$\xi_a = 0.96 \ , \ \Delta h_a = \frac{v_{a-b}^2}{2}\xi_a = \frac{2.035^2}{2} \times 0.96 = 1.98779 \ (\text{kPa})$$

b—c 段分流三通一个：

$$\xi_\mathrm{b} = 1.5,\ \Delta h_\mathrm{b} = \frac{v_\mathrm{a-b}^2}{2}\xi_\mathrm{b} = \frac{2.035^2}{2} \times 1.5 = 3.10592\,(\mathrm{kPa})$$

c—d 段直流三通：

$$\Delta h_\mathrm{c-d} = 0.175(v_\mathrm{b-c} - v_\mathrm{c-d})^2 = 0.175(1.0174 - 1.004)^2$$
$$= 0.00003\,(\mathrm{kPa})$$

支管 c 分流(侧流)三通一个：

$$\text{支管流速 } v_\mathrm{f} = \frac{10}{3600 \times 0.7854 \times 0.053^2} = 1.2591\,(\mathrm{m/s})$$

因为：$\dfrac{f}{F} < 0.35$，$\dfrac{q}{Q} < 0.4$，所以：

$$\text{系数 } \varepsilon = 1.1 - 0.7\frac{q_\mathrm{f}}{Q_\mathrm{c}} = 1.1 - 0.7 \times \frac{10}{760} = 1.0908$$

$$\Delta h_\mathrm{c支} = \frac{\varepsilon(v_\mathrm{b-c}^2 + v_\mathrm{f}^2)}{2} = \frac{1.0908(1.0174^2 + 1.2591^2)}{2}$$
$$= 1.42919\,(\mathrm{kPa})$$

d—e 段支管($2^\#$ 支干管)分流(侧流)三通一个：

$$\text{支干管流速 } v_\mathrm{f} = \frac{10 \times 37}{3600 \times 0.7854 \times 0.313^2} = 1.3357\,(\mathrm{m/s})$$

因为：$\dfrac{f}{F} = \dfrac{0.313^2}{0.514^2} = 0.371 > 0.35$，而 $\dfrac{q_\mathrm{f}}{Q_\mathrm{c}} = \dfrac{370}{750} = 0.493 \leqslant$

0.6，所以：

$$\text{系数 } \varepsilon = 1 - 0.65\frac{q_\mathrm{f}}{Q_\mathrm{c}} = 1 - 0.65 \times \frac{370}{750} = 0.679$$

$$\Delta h_\mathrm{d支} = \frac{\varepsilon(v_\mathrm{c-d}^2 + v_\mathrm{f}^2)}{2} = \frac{0.679(1.004^2 + 1.3357^2)}{2}$$
$$= 0.9479\,(\mathrm{kPa})$$

d—e 直流三通一个：

$$\Delta h_\mathrm{d-e} = 0.175(v_\mathrm{c-d} - v_\mathrm{d-e})^2 = 0.175(1.004 - 0.5087)^2$$
$$= 0.04293\,(\mathrm{kPa})$$

e—f 段支管 e 分流(侧流)三通一个：

$$\text{支管流速 } v_\mathrm{f} = \frac{10}{3600 \times 0.7854 \times 0.053^2} = 1.2591\,(\mathrm{m/s})$$

$$系数\ \varepsilon = 1.1 - 0.7\frac{q_\mathrm{f}}{Q_\mathrm{e}} = 1.1 - 0.7 \times \frac{10}{370} = 1.0811$$

$$\Delta h_{\mathrm{e}\underline{\text{支}}} = \frac{\varepsilon(v_{\mathrm{d-e}}^2 + v_\mathrm{f}^2)}{2} = \frac{1.0811(0.5087^2 + 1.2591^2)}{2}$$

$$= 0.9968\ (\mathrm{kPa})$$

e—f 直流三通一个：

$$\Delta h_{\mathrm{e-f}} = 0.175(v_{\mathrm{d-e}} - v_{\mathrm{e-f}})^2 = 0.175(0.5087 - 0.4953)^2$$

$$= 0.00003\ (\mathrm{kPa})$$

f 支管($1^\#$ 支干管)分流(侧流)三通一个：

$$支干管流速\ v_\mathrm{f} = \frac{370}{3600 \times 0.7854 \times 0.313^2} = 1.3357\ (\mathrm{m/s})$$

$$因为：\frac{f}{F} = 0.371 > 0.35, 而\ \frac{q_\mathrm{f}}{Q_\mathrm{f}} = 1 > 0.6, 所以：$$

$$系数\ \varepsilon = 0.6$$

$$\Delta h_{\mathrm{f}\underline{\text{支}}} = \frac{\varepsilon(v_\mathrm{e}^2 + v_\mathrm{f}^2)}{2} = \frac{0.6(0.4953^2 + 1.3357^2)}{2}$$

$$= 0.6088\ (\mathrm{kPa})$$

3)水平配水支干管起点(入口)水压及支管 c、e 入口水压计算,按照式(5.7.2-1)对第 $1^\#$ 支干管：

$$P_{\mathrm{s1(1)}} = P_{\mathrm{s0}} - 9.81\sum i_a l_a - \sum \Delta h_a$$

$$= P_{\mathrm{s0}} - 9.81(0.0735 + 0.00405 + 0.00132 +$$

$$0.00114 + 0.00036) - (1.98779 + 3.10592 +$$

$$0.00003 + 0.04293 + 0.00003 + 0.6088)$$

$$= P_{\mathrm{s0}} - 9.81 \times 0.08039 - 5.74455$$

$$= P_{\mathrm{s0}} - 6.53413$$

对第 $2^\#$ 支干管：

$$P_{\mathrm{s1(2)}} = P_{\mathrm{s0}} - 9.81(0.0735 + 0.00405 + 0.00132) -$$

$$(1.98779 + 3.10592 + 0.00003 + 0.9479)$$

$$= P_{\mathrm{s0}} - 9.81 \times 0.07887 - 6.04164$$

$$= P_{\mathrm{s0}} - 6.81535$$

对支管 c：

$$P_{s1(c)} = P_{s0} - 9.81(0.0735 + 0.00405) -$$
$$(1.98779 + 3.10592 + 1.42919)$$
$$= P_{s0} - 9.81 \times 0.0776 - 6.5229$$
$$= P_{s0} - 7.28416$$

对支管 e：

$$P_{s1(e)} = P_{s0} - 9.81(0.0735 + 0.00405 + 0.00132 + 0.00114) -$$
$$(1.98779 + 3.10592 + 0.00003 + 0.04293 + 0.9968)$$
$$= P_{s0} - 9.81 \times 0.0800 - 6.13347$$
$$= P_{s0} - 6.91827$$

4）喷头有效作用总水头计算：

支管 c 及支管 e 是在次干管下方接出支管，支管管径 $d = 50$ （$\phi 60 \times 3.5$），支管长 $l_支 = 0.235\text{m}$，流速 $v_f = 10/(3600 \times 0.7854 \times 0.053^2) = 1.2591(\text{m/s})$，$i_f = 0.00107 v^2/d^{1.3} = 0.00107 \times 1.2591^2/ 0.053^{1.3} = 0.07726$，支管总损失 $\sum \Delta h_f = 0.07726 \times 0.235 \times 9.81 = 0.1781(\text{kPa})$。

一般支管均为从支干管侧面接出经弯头向下，管长 $l_{om} = 0.337 + 0.5 = 0.837(\text{m})$，局部阻力 90° 弯头一个，$\xi = 1.1$，则 $\sum \Delta h_f = 9.81 i l_{om} + 0.5 v^2 \xi = 9.81 \times 0.07726 \times 0.837 + 0.5 \times 1.2591^2 \times 1.1 = 0.63438 + 0.87193 = 1.50631(\text{kPa})$。

支干管起点中心标高至喷溅装置（喷头）喷嘴出口高差 $\Delta Z = 0.5 + 0.09 = 0.59(\text{m})$。

喷头有效作用总水头按下式计算：

$$P_{om} = P_{s1} - \sum \Delta h_f + 9.81 \Delta Z - 9.81 [i_1 l_1 + (i_2 + i_3 + i_4 + \cdots +$$
$$i_m)l] - 0.175(m-1)\left(\frac{v_0}{n}\right)^2 - 0.5\varepsilon(v_m^2 + v_f^2)$$
$$= P_{s1} - \sum \Delta h_f + 9.81 \Delta Z - \sum \Delta h_{Zm}$$

· 93 ·

式中：$\sum \Delta h_{Zm}$——支干管的总水力损失(kPa)。

$$\sum \Delta h_{Zm} = 9.81[i_1 l_1 + (i_2 + i_3 + i_4 + \cdots + i_m)l] +$$
$$0.175(m-1)\left(\frac{v_0}{n}\right)^2 + 0.5\varepsilon(v_m^2 + v_f^2)$$

对于 1# 支干管：

$$P_{om(1)} = P_{s0} - 6.53413 - 1.50631 + 9.81 \times 0.59 - \sum \Delta h_{Zm}$$
$$= P_{s0} - 2.25254 - \sum \Delta h_{Zm}(kPa)$$

对于 2# 支干管：

$$P_{om(2)} = P_{s0} - 6.81535 - 1.50631 + 9.81 \times 0.59 - \sum \Delta h_{Zm}$$
$$= P_{s0} - 2.53376 - \sum \Delta h_{Zm}(kPa)$$

对于支管 c：

$$P_{om(c)} = P_{s0} - 7.28416 - 0.1781 + 9.81 \times 0.59$$
$$= P_{s0} - 1.67436(kPa)$$

对于支管 e：

$$P_{om(e)} = P_{s0} - 6.91827 - 0.1781 + 9.81 \times 0.59$$
$$= P_{s0} - 1.30847(kPa)$$

式中 $\sum \Delta h_{Zm}$ 用列表法计算。

5)喷头流量按下式用列表法计算,取 $\mu = 0.92$, $\phi = 0.032$：

$$q_m = 3999\mu\phi^2 (P_{om})^{0.5} = 3.7674 (P_{om})^{0.5}(m^3/h)$$

计算内容及结果见表1。从表中可以看出：

①当管网为水平布置,喷嘴标高相同时,在 76 个喷嘴中误差大于 5% 者为 3 个,占总数的 4%,其最大误差为 +16.7%；

②同①条件,但将布置在主干管下方的喷嘴标高提 0.135m 后,误差大于 5% 者为 3 个,占 4%,其最大误差为 +8.4%；

③支干管采用上坡方式,即每个喷嘴标高调高 0.004m,在支干管上的 74 个喷嘴的流量变化减低,误差从 +5.81% ~ -3.64% 降为 +3.34% ~ -1.02%。

表 1　配水管网计算

项号	计算内容	三通节点编号										
		1	2	3	4	5	6	7	8	9	10	11
A	支干管流量 Q_m（节点前）（m³/h）	370	360	350	340	330	320	310	300	290	280	270
B	支管流量 Q_f（节点处）（m³/h）	10	10	10	10	10	10	10	10	10	10	10
C	支干管流速 v_m（节点前）（m/s）（φ325×6）	1.3357	1.3000	1.2635	1.2274	1.1913	1.1552	1.1191	1.083	1.0469	1.0108	0.9747
D	支管流速 v_f（节点处）（m/s）（φ60×3.5）	1.2591	1.2591	1.2591	1.2591	1.2591	1.2591	1.2591	1.2591	1.2591	1.2591	1.2591
E	主管段长度 $l_1, l(m)$	0.145	0.41	0.41	0.41	0.41	0.41	0.41	0.41	0.41	0.41	0.41
F	水力坡度 当 $v<1.2\mathrm{m/s}$ 时，$i=0.000912(1+0.867/v)^{0.3}v^2/d^{1.3}$	—	—	—	—	0.00690	0.00652	0.00614	0.00578	0.00542	0.00508	0.00475
	水力坡度 当 $v>1.2\mathrm{m/s}$ 时，$i=0.00107v^2/d^{1.3}$	0.00864	0.00819	0.00773	0.00730	—	—	—	—	—	—	—
G	管段沿程损失 $\Delta h_1 = l(或\ l_1)i \times 9.81(\mathrm{kPa})$	0.012292	0.032924	0.031101	0.02935	0.027767	0.026212	0.024701	0.023234	0.02181	0.02043	0.019094
H	累计沿程损失 $\sum \Delta h_1 (\mathrm{kPa})$	0.0123	0.0452	0.0763	0.1057	0.1334	0.1596	0.1843	0.2076	0.2294	0.2498	0.2689

续表 1

项号	计 算 内 容	三通节点编号										
		1	2	3	4	5	6	7	8	9	10	11
I	累计直流三通损失 $\Sigma \Delta H_m =$ $0.175(m-1)(1.3357/37)^2$ (kPa)	0	0.000228	0.000456	0.000684	0.000912	0.00114	0.001368	0.001596	0.001824	0.002053	0.002281
J	支管分流量比 Q_f/Q_m (kPa)	0.0270	0.0278	0.0286	0.0294	0.0303	0.0313	0.0323	0.0333	0.0345	0.0357	0.0370
K	分流阻力系数 $\varepsilon = 1.1 - 0.7(Q_f/Q_m)$	1.081	1.081	1.080	1.079	1.079	1.078	1.077	1.077	1.076	1.075	1.074
L	分流阻力 $\Delta H_{fm} = 0.5\varepsilon(v_m^2 + v_f^2)$ (kPa)	1.821	1.770	1.718	1.669	1.621	1.574	1.529	1.485	1.442	1.401	1.362
M	支干管总阻力 $\Sigma \Delta h_{zm} = \langle H \rangle + \langle I \rangle + \langle L \rangle$ (kPa)	1.834	1.815	1.795	1.775	1.755	1.735	1.714	1.694	1.674	1.653	1.633
	当 $P_{s0} = 10.91$ kPa，$\Delta Z = 0.59$m 时											
N	1# 支干管各喷头流量 $q_m =$ $3.7674(P_{s0} - 2.25254 - \langle M \rangle)^{0.5}$ (m³/h)	9.841	9.855	9.869	9.884	9.898	9.912	9.927	9.942	9.956	9.971	9.985
O	2# 支干管各喷头流量 $q_m =$ $3.7674(P_{s0} - 2.53376 - \langle M \rangle)^{0.5}$ (m³/h)	9.636	9.650	9.665	9.680	9.694	9.709	9.724	9.739	9.754	9.768	9.783

续表 1

项号	计 算 内 容	三通节点编号										
		1	2	3	4	5	6	7	8	9	10	11
P	支管 c 流量 $q_c = 3.7674(P_{s0} - 1.67436)^{0.5}$ (m³/h)	11.45	—	—	—	—	—	—	—	—	—	—
Q	支管 e 流量 $q_e = 3.7674(P_{s0} - 1.30847)^{0.5}$ (m³/h)	11.67	—	—	—	—	—	—	—	—	—	—
当 $P_{s0} = 10.91$ kPa, $\Delta Z = 0.59 - 0.135 = 0.455$ m 时												
R	支管 c 流量 $q_c = 3.7674(P_{s0} - 1.67436 - 9.81 \times 0.135)^{0.5}$ (m³/h)	10.60	—	—	—	—	—	—	—	—	—	—
S	支管 e 流量 $q_e = 3.7674(P_{s0} - 1.30847 - 9.81 \times 0.135)^{0.5}$ (m³/h)	10.84	—	—	—	—	—	—	—	—	—	—
当 $P_{s0} = 11.65$ kPa, $\Delta Z = 0.59 - 0.004 \times m$ 时												
T	1# 支干管 $q_m = 3.7674(P_{s0} - 2.25254 - \langle M \rangle - 9.81 \times 0.004 \times m)^{0.5}$	10.334	10.320	10.307	10.294	10.280	10.267	10.254	10.241	10.228	10.215	10.202
U	2# 支干管 $q_m = 3.7674(P_{s0} - 2.53376 - \langle M \rangle - 9.81 \times 0.004 \times m)^{0.5}$	10.144	10.130	10.116	10.103	10.089	10.076	10.063	10.049	10.036	10.023	10.009

续表1

项号	计算内容	三通节点编号								
		12	13	14	15	16	17	18	19	20
A	支干管流量 Q_m（节点前）（m³/h）	260	250	240	230	220	210	200	190	180
B	支管流量 Q_t（节点处）（m³/h）	10	10	10	10	10	10	10	10	10
C	支干管流速 v_m（节点前）（m/s）（$\phi325\times6$）	0.9386	0.9025	0.8664	0.8303	0.7942	0.7581	0.7220	0.6859	0.7220
D	支管流速 v_t（节点处）（m/s）（$\phi60\times3.5$）	1.2591	1.2591	1.2591	1.2591	1.2591	1.2591	1.2591	1.2591	1.2591
E	主管段长度 l_1,l(m)	0.41	0.41	0.41	0.41	0.41	0.41	0.41	0.41	0.41
F	水力坡度 当 $v<1.2$m/s 时, $i=0.000912(1+0.867/v)^{0.3}v^2/d^{1.3}$	0.00443	0.00412	0.00382	0.00353	0.00325	0.00298	0.00273	0.00248	0.00273
	当 $v>1.2$m/s 时, $i=0.00107v^2/d^{1.3}$	—	—	—	—	—	—	—	—	—
G	管段沿程损失 $\Delta h_1 = l(或\ l_1)\,i\times9.81$(kPa)	0.017801	0.016552	0.015347	0.014186	0.013069	0.011996	0.010967	0.009982	0.010967
H	累计沿程损失 $\sum\Delta h_1$(kPa)	0.2867	0.3033	0.3186	0.3328	0.3459	0.3579	0.3688	0.3788	0.3898

续表1

项号	计算内容	三通节点编号								
		12	13	14	15	16	17	18	19	20
I	累计直流三通损失 $\sum \Delta H_m = 0.175(m-1)(1.3357/37)^2$ (kPa)	0.002509	0.002737	0.002965	0.003193	0.003421	0.003649	0.003877	0.004105	0.004333
J	支管分流流量比 Q_f/Q_m (kPa)	0.0385	0.0400	0.0417	0.0435	0.0455	0.0476	0.0500	0.0526	0.0556
K	分流阻力系数 $\varepsilon = 1.1 - 0.7(Q_f/Q_m)$	1.073	1.072	1.071	1.070	1.068	1.067	1.065	1.063	1.061
L	分流阻力 $\Delta H_{fm} = 0.5\varepsilon(v_m^2 + v_f^2)$ (kPa)	1.323	1.286	1.251	1.216	1.184	1.152	1.122	1.093	1.118
M	支干管总阻力 $\sum h_{Zm} = \langle H \rangle + \langle I \rangle + \langle L \rangle$ (kPa)	1.612	1.592	1.572	1.552	1.533	1.514	1.494	1.476	1.512
当 $P_{s0} = 10.91$kPa，$\Delta Z = 0.59$m 时										
N	1# 支干管各喷头流量 $q_m = 3.7674(P_{s0} - 2.25254 - \langle M \rangle)^{0.5}$ (m³/h)	10.000	10.014	10.028	10.042	10.056	10.070	10.083	10.096	10.071
O	2# 支干管各喷头流量 $q_m = 3.7674(P_{s0} - 2.53376 - \langle M \rangle)^{0.5}$ (m³/h)	9.798	9.813	9.827	9.841	9.855	9.869	9.883	9.897	9.871

续表1

项号	计算内容	三通节点编号								
		12	13	14	15	16	17	18	19	20
P	支管c流量 $q_c = 3.7674(P_{s0} - 1.67436)^{0.5}$（m³/h）	—	—	—	—	—	—	—	—	—
Q	支管e流量 $q_e = 3.7674(P_{s0} - 1.30847)^{0.5}$（m³/h）	—	—	—	—	—	—	—	—	—
当 $P_{s0} = 10.91$ kPa，$\Delta Z = 0.59 - 0.135 = 0.455$m 时										
R	支管c流量 $q_c = 3.7674(P_{s0} - 1.67436 - 9.81×0.135)^{0.5}$（m³/h）	—	—	—	—	—	—	—	—	—
S	支管e流量 $q_e = 3.7674(P_{s0} - 1.30847 - 9.81×0.135)^{0.5}$（m³/h）	—	—	—	—	—	—	—	—	—
当 $P_{s0} = 11.65$ kPa，$\Delta Z = 0.59 - 0.004×m$ 时										
T	1# 支干管 $q_m = 3.7674(P_{s0} - 2.25254 - \langle M \rangle - 9.81×0.004×m)^{0.5}$	10.189	10.175	10.162	10.148	10.135	10.121	10.107	10.092	10.039
U	2# 支干管 $q_m = 3.7674(P_{s0} - 2.53376 - \langle M \rangle - 9.81×0.004×m)^{0.5}$	9.996	9.982	9.969	9.955	9.941	9.927	9.912	9.898	9.843

续表 1

项号	计算内容	三通节点编号								
		21	22	23	24	25	26	27	28	29
A	支干管流量 Q_m（节点前）（m³/h）	170	160	150	140	130	120	110	100	90
B	支管流量 Q_f（节点处）（m³/h）	10	10	10	10	10	10	10	10	10
C	支干管流速 v_m（节点前）（m/s）（$\phi325\times6$）	0.6137	0.5776	0.5415	0.5054	0.4693	0.4332	0.3971	0.361	0.3249
D	支管流速 v_f（节点处）（m/s）（$\phi60\times3.5$）	1.2591	1.2591	1.2591	1.2591	1.2591	1.2591	1.2591	1.2591	1.2591
E	主管段长度 l_1,l（m）	0.41	0.41	0.41	0.41	0.41	0.41	0.41	0.41	0.41
F	水力坡度当 $v<1.2\,\text{m/s}$ 时，$i=0.0009912(1+0.867/v)^{0.3}v^2/d^{1.3}$	0.00203	0.00181	0.00161	0.00142	0.00124	0.00108	0.00092	0.00078	0.00064
	水力坡度当 $v>1.2\,\text{m/s}$ 时，$i=0.00107v^2/d^{1.3}$	—	—	—	—	—	—	—	—	—
G	管段沿程损失 $\Delta h_1=l(\text{或}\ l_1)i\times9.81$（kPa）	0.008145	0.007293	0.006486	0.005724	0.005006	0.004333	0.003706	0.003124	0.002589
H	累计沿程损失 $\sum\Delta h_1$（kPa）	0.3979	0.4052	0.4117	0.4174	0.4224	0.4268	0.4305	0.4336	0.4362

续表 1

项号	计 算 内 容	三通节点编号								
		21	22	23	24	25	26	27	28	29
I	累计直流三通损失 $\sum \Delta H_m =$ $0.175(m-1)(1.3357/37)^2$(kPa)	0.004561	0.004789	0.005017	0.005245	0.005473	0.005702	0.00593	0.006158	0.006386
J	支管分流量比 Q_f/Q_m (kPa)	0.0588	0.0625	0.0667	0.0714	0.0769	0.0833	0.0909	0.1000	0.1111
K	分流阻力系数 $\varepsilon = 1.1 - 0.7(Q_f/Q_m)$	1.059	1.056	1.053	1.050	1.046	1.042	1.036	1.030	1.022
L	分流阻力 $\Delta H_{fm} = 0.5\varepsilon(v_m^2 + v_f^2)$ (kPa)	1.039	1.013	0.989	0.966	0.944	0.923	0.903	0.884	0.864
M	支干管总阻力 $\sum \Delta h_{zm} = \langle H \rangle + \langle I \rangle + \langle L \rangle$ (kPa)	1.441	1.423	1.406	1.389	1.372	1.356	1.340	1.323	1.307
	当 $P_{s0} = 10.91$kPa, $\Delta Z = 0.59$m 时									
N	$1^{\#}$ 支干管各喷头流量 $q_m =$ $3.7674(P_{s0} - 2.25254 - \langle M \rangle)^{0.5}$ (m³/h)	10.120	10.133	10.145	10.157	10.169	10.180	10.191	10.203	10.214
O	$2^{\#}$ 支干管各喷头流量 $q_m =$ $3.7674(P_{s0} - 2.53376 - \langle M \rangle)^{0.5}$ (m³/h)	9.921	9.934	9.946	9.958	9.970	9.982	9.994	10.005	10.017

续表 1

项号	计算内容	三通节点编号								
		21	22	23	24	25	26	27	28	29
P	支管 c 流量 $q_c = 3.7674(P_{s0} - 1.67436)^{0.5}$ (m³/h)	—	—	—	—	—	—	—	—	—
Q	支管 e 流量 $q_e = 3.7674(P_{s0} - 1.30847)^{0.5}$ (m³/h)	—	—	—	—	—	—	—	—	—
当 $P_{s0} = 10.91$kPa，$\Delta Z = 0.59 - 0.135 = 0.455$m 时										
R	支管 c 流量 $q_c = 3.7674(P_{s0} - 1.67436 - 9.81 \times 0.135)^{0.5}$ (m³/h)	—	—	—	—	—	—	—	—	—
S	支管 e 流量 $q_e = 3.7674(P_{s0} - 1.30847 - 9.81 \times 0.135)^{0.5}$ (m³/h)	—	—	—	—	—	—	—	—	—
当 $P_{s0} = 11.65$kPa，$\Delta Z = 0.59 - 0.004 \times m$ 时										
T	1# 支干管 $q_m = 3.7674(P_{s0} - 2.25254 - \langle M \rangle - 9.81 \times 0.004 \times m)^{0.5}$	10.061	10.046	10.031	10.015	9.999	9.983	9.966	9.950	9.934
U	2# 支干管 $q_m = 3.7674(P_{s0} - 2.53376 - \langle M \rangle - 9.81 \times 0.004 \times m)^{0.5}$	9.866	9.851	9.835	9.819	9.802	9.786	9.769	9.753	9.736

续表 1

项号	计算内容	三通节点编号								$\sum q_m$
		30	31	32	33	34	35	36	37	
A	支干管流量 Q_m（节点前）（m³/h）	80	70	60	50	40	30	20	10	—
B	支管流量 Q_f（节点处）（m³/h）	10	10	10	10	10	10	10	10	—
C	支干管流速 v_m（节点前）（m/s）（$\phi325\times6$）	0.2888	0.2527	0.2166	0.1805	0.1444	0.1083	0.0722	0.0361	—
D	支管流速 v_f（节点处）（m/s）（$\phi60\times3.5$）	1.2591	1.2591	1.2591	1.2591	1.2591	1.2591	1.2591	1.2591	—
E	主管管段长度 l_1, l（m）	0.41	0.41	0.41	0.41	0.41	0.41	0.41	0.41	—
F	水力坡度 当 $v<1.2$ m/s 时，$i=0.0009912(1+0.867/v)^{0.3}v^2/d^{1.3}$ 当 $v>1.2$ m/s 时，$i=0.00107v^2/d^{1.3}$	0.00052 —	0.00041 —	0.00031 —	0.00023 —	0.00015 —	0.00009 —	0.00005 —	0.00001 —	—
G	管段沿程损失 $\Delta h_1 = l$（或 l_1）$i\times9.81$（kPa）	0.0021	0.001657	0.001263	0.000917	0.000621	0.000377	0.000187	0.0000568	—
H	累计沿程损失 $\sum\Delta h_1$（kPa）	0.4383	0.4399	0.4412	0.4421	0.4427	0.4431	0.4433	0.4434	—

续表 1

项号	计算内容	三通节点编号								$\sum q_m$
		30	31	32	33	34	35	36	37	
I	累计直流三通损失 $\sum \Delta H_m = 0.175(m-1)(1.3357/37)^2$ (kPa)	0.006614	0.006842	0.00707	0.007298	0.007526	0.007754	0.007982	0.00821	—
J	支管分流量比 Q_f/Q_m (kPa)	0.1250	0.1429	0.1667	0.2000	0.2500	0.3333	0.5000	1.0000	—
K	分流阻力系数 $\varepsilon = 1.1 - 0.7(Q_f/Q_m)$	1.013	1.000	0.983	0.960	0.925	0.867	0.750	0.400	—
L	分流阻力 $\Delta H_{fm} = 0.5\varepsilon(v_m^2 + v_f^2)$ (kPa)	0.845	0.825	0.803	0.777	0.743	0.692	0.596	0.317	—
M	支干管总阻力 $\sum \Delta h_{Zm} = \langle H \rangle + \langle I \rangle + \langle L \rangle$ (kPa)	1.290	1.271	1.251	1.226	1.193	1.143	1.048	0.769	—
	当 $P_{s0} = 10.91$ kPa,$\Delta Z = 0.59$ m 时									
N	1# 支干管各喷头流量 $q_m = 3.7674(P_{s0} - 2.25254 - \langle M \rangle)^{0.5}$ (m³/h)	10.226	10.239	10.253	10.270	10.293	10.327	10.393	10.581	373.593
O	2# 支干管各喷头流量 $q_m = 3.7674(P_{s0} - 2.53376 - \langle M \rangle)^{0.5}$ (m³/h)	10.029	10.042	10.057	10.074	10.097	10.132	10.199	10.391	366.205

续表 1

项号	计算内容	三通节点编号								Σq_m
		30	31	32	33	34	35	36	37	
P	支管 c 流量 $q_c = 3.7674(P_{s0} - 1.67436)^{0.5}$（$m^3/h$）	—	—	—	—	—	—	—	—	—
Q	支管 e 流量 $q_e = 3.7674(P_{s0} - 1.30847)^{0.5}$（$m^3/h$）	—	—	—	—	—	—	—	—	—
当 $P_{s0} = 10.91\text{kPa}$, $\Delta Z = 0.59 - 0.135 = 0.455\text{m}$ 时										
R	支管 c 流量 $q_c = 3.7674(P_{s0} - 1.67436 - 9.81×0.135)^{0.5}$（$m^3/h$）	—	—	—	—	—	—	—	—	—
S	支管 e 流量 $q_e = 3.7674(P_{s0} - 1.30847 - 9.81×0.135)^{0.5}$（$m^3/h$）	—	—	—	—	—	—	—	—	—
当 $P_{s0} = 11.65\text{kPa}$, $\Delta Z = 0.59 - 0.004×m$ 时										
T	1# 支干管 $q_m = 3.7674(P_{s0} - 2.25254 - \langle M \rangle - 9.81×0.004×m)^{0.5}$	9.918	9.903	9.890	9.879	9.875	9.883	9.923	10.093	373.460
U	2# 支干管 $q_m = 3.7674(P_{s0} - 2.53376 - \langle M \rangle - 9.81×0.004×m)^{0.5}$	9.720	9.705	9.691	9.680	9.676	9.684	9.725	9.898	366.255

6 塔型及部件设计

6.1 塔 型

6.1.1 冷却塔有很多类型,例如,按照通风方式不同,可分为自然通风式冷却塔和机械通风式冷却塔,按照气流与喷淋水的流向关系,可分为逆流式冷却塔与横流式冷却塔,等等,每一类的冷却塔都有不同的适用条件,选择哪种类型的冷却塔,应通过技术经济分析确定,本条给出了塔型选择时应考虑的因素。

6.1.2 本条是新增内容。单从冷却塔的效率、能耗和投资考虑,宜首选开式冷却塔,但使用闭式冷却塔有助于延长工艺设备中相关换热器的寿命,特别是在工艺上要求循环冷却水为洁净水时,只能选用闭式冷却塔。对于四季温差大、相对湿度较低并且缺水的地区,在某些工艺流程中,最热季完全采用空冷虽然没有水耗,但不能满足工艺对冷却水温的要求,而全年采用开式冷却塔虽然满足冷却要求,但又没有足够的用水指标,此时闭式冷却塔既可以在最热季满足冷却需求,又可在低温季部分甚至全部停止闭式塔的喷淋冷却,降低水耗。但是,目前闭式冷却塔在防冻、阻垢、降能耗等方面都有进一步改进的空间,不少闭式冷却塔在散热性能方面还需要提高。

6.1.3 本条是新增内容。在钢铁、石化等行业的某些特殊装置,循环冷却水最不利点的水压较高,已建系统有足够的压头和较稳定的水量,此时用水轮机取代电机驱动冷却塔风机,可以节省风机的电耗,但采用水轮机的前提是要能够保证冷却塔的正常运行条件及冷却性能。冷却性能与风量、气流分布和淋水均匀性有关,影响风量和气流分布的因素有风机叶片的安装角度、转速,水轮机取代电机后对气流通道的改变等,影响淋水均匀性的因素主要是水

107

轮机出口的余压和水流量,所以不能单以是否达到风机的设计转速来判断能否达到设计的冷却能力。当循环冷却水系统确有余压,且余压、水量能够满足驱动水轮机的要求时,可以采用水轮机驱动冷却塔风机,但不应为驱动水轮机,额外提高循环冷却水的供水压力。对已建成循环冷却水系统的节能改造,当循环冷却水系统有较大余压,但尚达不到保证散热能力所需的压头而需另加增压泵时,应进行核算,只有当增压的能耗所产生的费用加上泵与水轮机的投资以及可能增加的维修费用的总和明显低于冷却塔节电所产生的效益时,方可进行改造。

6.1.4 冷却塔不设备用。单独的冷却塔,应使塔的冷却能力和工艺要求的冷却水量相匹配;对于塔群,可以通过调节冷却塔的运行台数来满足运行工况的变化。

6.1.5 本条给出了选择逆流塔还是横流塔的基本规则。逆流式冷却塔气水热交换是在完全对流条件下进行,出塔水是与热焓最低的进塔空气换热,能够取得较低的 $t_2 - \tau$ 值;横流式冷却塔换热条件较复杂,出塔水只有少部分与热焓最低的进塔空气换热,故 $t_2 - \tau$ 值一般都较大,实塔测试一般会大于 $4\,^{\circ}\mathrm{C}$。随着 $t_2 - \tau$ 值的提高,横流式冷却塔总的热交换能力提高较快,此时与逆流式冷却塔相比,要视具体条件而定优劣,故宜经比较后确定。

6.1.6 本条是新增内容。横流式冷却塔噪声较低,与逆流式冷却塔相比,横流式冷却塔在水量变化幅度较大时仍然能够较好保持淋水的均匀性,水量变化对淋水的均匀性基本没有影响。在水温差 $(t_1 - t_2)$ 已定条件下,当工艺冷却水量变化幅度达到 $\pm 20\%$ 左右时,适合采用横流式冷却塔。

6.1.7 本条是新增内容。本条给出选择抽风还是鼓风以及顶出风还是侧出风的一些原则。由于抽风式冷却塔的换热区域处于负压状态,有利于蒸发,而冷却塔出口的热空气自然上升,所以冷却塔一般用轴流风机,采取顶出的抽风形式。但在进风条件差,或者处于地下隐蔽工程的,需要提供高的通风压头,则需要用离心风机采取鼓风的形式,一般也是顶出风。有些场合,特别是单边的横流塔,由于气流组织时进出风口的特殊性,也会采用侧出风形式。设计时,还需特别注意抽风与鼓风、顶出风与侧出风在换热区域的气流分布会有所不同,进而会影响塔的散热性能。

6.1.8 本条根据工程实践经验,推荐了一些有利气流通畅的梁、柱布置形式。国内或国外某些工程中,有用户指定用木结构的冷却塔,在特定的条件下,木结构有投资省、使用寿命长的优点。

6.2 集 水 池

6.2.1 本条内容与原规范相同,但对原规范规定的数据进行了调整。对于小型冷却塔,集水池平面尺寸与填料区平面尺寸相同外加回水檐的做法是简单和经济的。对于某些场合,如水面需要除油(污物)的冷却塔,可将水池加宽,取消回水檐。对于大、中型冷却塔,尤其在北方寒冷地区宜采用加宽水池的方法减少溅水,防止冬季池外挂冰。集水池上的回水檐不宜作为人行通道使用,如若作为通道使用,应采取安全防范措施,如设置栏杆等。

6.2.2 本条给出了冷却塔集水池设计的规定:

1 为防止冷却塔出塔水中夹带杂物,如填料碎片等进入水泵和换热器,故应设计拦污格栅网。

2 本款根据以往运行检修经验,为方便清污、排水等要求而制订。大、中型冷却塔由于整排布置冷水池很长,宜在靠水池的一边设置排污沟,有利于水池清理,同时对于风沙大的地方有利于排沙。

3 本款是为了防止地面风沙进入集水池而提出集水池池顶高出地面的最小高度,大、中型冷却塔设计中可根据实际布置调整集水池顶面高度。

4 集水池的有效水深是根据循环水泵房的布置及结构形式、水泵的必需汽蚀余量计算所需吸水位、循环水系统所需调节水位、循环水的系统容积、管道布置形式等因素综合确定的。目前,实际工程的循环水量越来越大,单台循环水泵的流量也越来越大,泵的安装高度也相应增大,并且水泵露天布置越来越多,大、中型冷却塔设计中可根据实际布置调整集水池的有效水深,同时可采取一定的措施降低集水池的有效水深,以免水池太深,不利于运行管理,如采用自吸泵或真空管路系统等来满足水泵的安装高度要求。

6.2.3 本条是新增内容,冷却塔的集水池是否分隔,直接与冷却塔的运行管理是否方便、合理及经济性有关。

6.3 进 风 口

6.3.1 本条根据实践经验提出了对进风口百叶窗的设置条件。

6.3.2 进风口的高度由进风口面积与填料区面积比来决定,从气流阻力大小及气流分布均匀性优劣比较来说,进风口较高时有利,但从增加塔的高度、造价、供水水压来看则不利,从兼顾两者关系考虑,并参照工程设计经验,对各种进风面的冷却塔给出了进风口面积与填料区面积之比的建议值。

还有一种方法是通过进风口风速及阻力计算,塔的其他部位风速、阻力计算结果,合理匹配确定进风口面积和相应高度。

6.3.3 本条计算方法参照美国马利冷却塔公司的方法,可避免设计进风口上沿导流板的盲目性。

6.3.4 进风口侧面导流板是设计人员容易忽视的,因而有一些位于冷却塔群两端的冷却塔格出现较大涡流,使下落的水流洒向塔外,浪费冷却水,污染环境,也降低了冷却塔的冷却能力,故本条提出了设置侧面导流板的条件。另外,在气温较低的冬春季节,当有侧向风时,冷却塔排的边柱周围会结冰,影响安全生产,因此只要有条件,就设置进风口侧面导流板。

6.4 填 料

6.4.1 本条给出了选择填料的原则。填料的选择影响因素是多

110

方面的,循环冷却水的水质是填料选择的一个重要影响因素。水中有可能泄漏原料油等或水中有纤维状物时,宜选择点滴填料;水质较好时,宜选用薄膜填料;当场地受限,且水中有可能泄漏原料油类污染物时,宜选用点滴薄膜混装填料。

1 由于循环冷却水的特点以及冷却塔的散热要求,需要填料具有热力性能与阻力性能好、刚度好、耐腐蚀、抗老化、阻燃的特点。目前,冷却塔中广泛使用的填料为聚氯乙烯材质,关于阻燃,现行行业标准《冷却塔塑料部件技术条件》DL/T 742中规定,聚氯乙烯填料的氧指数不应小于40%。业界认为,在现有的聚氯乙烯塑料填料加工工艺条件下,要满足氧指数40%,同时还要满足其他的理化性能有一定困难,这个问题将有待填料的产品标准来解决。

2 逆流式冷却塔的填料布置在塔进风口上方,采用薄膜式或点滴薄膜式可使塔总高度降低,降低造价。

3 横流式冷却塔的填料高度与进风口高度相同,有利于采用高度大的点滴式填料,点滴薄膜式或薄膜式填料的装填高度不是制约条件,亦可应用,但填料进深(厚度)对冷却塔的总体尺寸有直接影响,故应对填料与塔体高度的匹配进行比较。

6.4.2 本条在修订时,根据目前的主流填料,对填料的材质及适用温度的范围进行了调整。冷却塔填料目前广泛使用的是塑料材质,不同品种的塑料,其耐温性能有所不同,物性也有差异,如氯化聚氯乙烯(CPVC)的亲水性差于改性聚氯乙烯(PVC),对相同规格的填料,其散热性能会下降;聚丙烯填料(PP)耐高温性能较佳,可用于 $t_1 \leqslant 70℃$ 的条件,但其低温性能及抗老化性能差、易燃;以聚丙烯制作的格网填料,国内外已有一些冷却塔在采用,主要用于水质较差的冷却水系统。在月平均气温低于 $-8℃$ 地区运行的冷却塔,应选用耐寒型填料,通常我国济南、西安以北地区的冷却塔就应采用耐寒型填料。耐寒型填料通常是加入了韧性组分。

6.4.3 本条对填料适用的循环冷却水中悬浮物含量的范围进行

了调整。薄膜型填料一般比表面积大,间距小,容易被水中悬浮物堵塞,或因结垢而堵塞,从工程经验看,水中悬浮物浓度宜控制在50mg/L以下。而点滴式或点滴薄膜式填料比表面积相对较小,但间距较大,防堵性能提高,故当特殊冷却水质水中悬浮物浓度大于100mg/L时宜采用后者。当冷却水的悬浮物浓度介于50mg/L~100mg/L之间时,可选用片距较大、防堵型薄膜填料,或点滴薄膜式填料。

6.4.4 填料的热力性能好,往往阻力也高,在自然塔中,填料阻力由塔的抽力进行平衡,而抽力与填料的进出空气密度差成正比。一般来讲,热力性能高的填料,采用的气水比相对较低,而空气密度差则较大,有提高抽力的作用。在抽风式机械通风冷却塔中,抽力由风机的风压提供,而风机的实际工作风压与空气密度成正比,使用气水比相对较低的填料时,塔出口空气密度相对较低,存在降低风压的作用,与前者正好相反。在一些实例计算比较中可看到,在自然塔中,某些热力性能排序较好的填料用于机械通风冷却塔时,则发生次序颠倒的现象,故选择填料时应与风机特性一起进行综合评价。

6.4.5 填料块直接布置在小梁上方时,填料块承受弯矩,梁中距与填料设计最优支点跨度相一致。当采用格栅型支撑架板时,填料上的负荷都转由支架板来支撑,此时支架板尺寸往往与填料块尺寸不相同,一般配合塔体水平梁的布置条件而定,为便于填料安装,格栅型支架板相当于一层多孔楼板,其设计跨度宜与梁的跨度相同。

6.4.6 填料安装采用吊装形式有利于提高通风及布水均匀性,但实际使用过程中,发现某些塔出现填料晃动产生噪声及容易损坏现象,究其原因是水平方向定位措施欠缺所致,故着重提出应设有防止晃动的措施。

6.5 配 水 系 统

6.5.1 本条给出了配水系统总体布置形式的原则。

6.5.2 逆流塔配水管网由支干管与主干管的不同组合可分成两类,一类为环状布置,如图8所示;另一类为树状布置,如图9～图13所示。

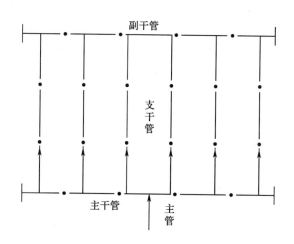

图8 环网状排管布置

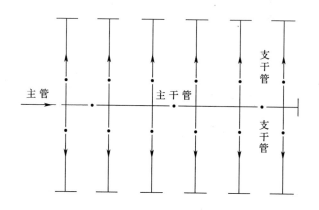

图9 中心干管排管布置

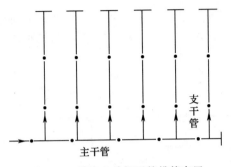

图 10 一端进水单侧干管排管布置

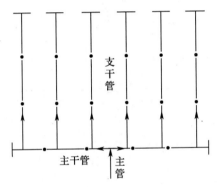

图 11 中央进水单侧干管排管布置

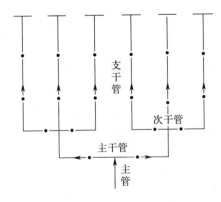

图 12 半对称树状排管布置

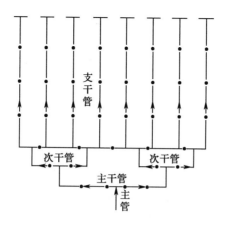

图 13　全对称树状排管布置

对于小型逆流式冷却塔的配水管网来说,只有同一总供水点,各出水点(喷头)为恒流量工作,不存在水量需要随时二次分配调整的问题,因而树状管网与环状管网的实际效果相近或相同,但树状管网结构较简单,施工与维护检修较容易,造价较低,故一般情况宜采用树状管网。对于大、中型冷却塔,布水面积较大,当通过计算比较,表明对提高布水均匀度有较大影响时,宜采用环状配水管网,或结合排气管(稳压管)布置将支干管末端联通而形成环状管网。

6.5.3、6.5.4　树状管网分流时采用对称分流布置形式,理论上分流后二者水压、水量相同。当无法采用对称分流,而用一般的直流三通形式时,对于一根等径主干管上并联有几根支干管的布置形式来说,各支干管入口水压将有较大差别。如根据水流速度变化情况主干管采取变径措施控制分流三通的流速在适宜范围内,则可使各支干管入口水压接近相同;对于支干管来说,为使施工方便,通常采用一根直径相同的支干管上等距布置若干个相同管径的支管,支管下方联结喷头,在水力学上属于均匀出流的短导管,其特征是始端流速高、静压低、侧向分流阻力系数高,而末端则流速低、静压高、侧向分流阻力低。对于各个支管来说,靠近支干管

115

进水端的支管的入口水压较低,随后逐个上升,在接近支干管末端的某一支管处,其入口水压达到最高值,而后略有波动。支管入口水压变化幅度与支干管对支管的管径比值和所并联的支管数目有关,支干管采用分段变径的结构形式,一般可使水压变化幅度减少,但在某些组合条件下可能收益不明显,故应通过计算比较来决定。

过去配水管网一般采用全部布置在同一标高水平上,对设计施工较便利,但对提高布水均匀性则不利。如支干管上各支管的入口水压,从始端到末端的变化规律是逐个上升的,则各喷嘴流量也在逐个增大,如果支干管采用向上坡的形式,喷头的标高亦随同上升,如喷头标高上升幅度与支管入口水压变化幅度相等或接近,二者相互抵消,则可使各支管入口水压接近相同,则喷嘴流量也可接近相同,因而可以提高布水均匀性。此外,支干管采取向上坡布置形式,当支干管末端布置放气管(稳压管)时,还具有使管道中积存的空气易于向管末端排出的好处,可提高稳压管的作用。故在适当场合可考虑作为提高布水均匀度的一种措施形式。

6.5.5 过去对配水系统的布水均匀度没有提出量的概念,而国外一些冷却塔设计公司在与国内工程技术人员的技术交流中提出控制布水均匀度的指标,经分析是合理的,也是可以做到的,故将其提出,便于设计者使用。

6.5.6 喷头平面布置形式常见有正三角形交错布置、等腰三角形交错布置、正方形方阵布置三种形式,分别如图14～图16所示。三种布置形式各有优缺点;等边正三角形(即正六角形)布置以任何一个喷嘴为中心,在其周围都有6个喷头均匀分布,各喷头距离都相同,故布水均匀性最好,但缺点是布点有一定难度,配管较复杂;正方形方阵布置配管最方便,以任何一个喷头为中心则其周围有8个喷头成田字状分布,喷头间距离 $r_1 = a = b$ 者有4个,另有4个 $r_2 = 1.414a = 1.414b$,二者大小比值达1.414,故布水均匀度较差;等腰三角形(即菱形)布置是正方形布置的改进型,以任何一个喷头为中心,在其周围都有 6 个喷头,但距离不完全相等,$r_1=b$ 者有 2 个,另有 4 个 $r_2=1.15a=1.15b$,二者比值为 1.15,故布水均匀度略次于正六角形布置,但好于正方形布置,其配管比正六角形方便,比正方形布置略为复杂一些。本条提出推荐采用序次,供设计人员选用。

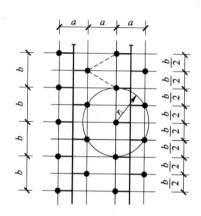

图 14　喷头成正三角形交错布置（$a=0.866b$,正六角形）

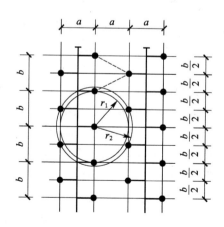

图 15　喷头成等腰三角形交错布置（$a=b$,菱形）

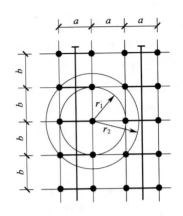

图16 喷头成正方形方阵布置($a=b$)

6.5.7 池式配水设计水深宜大于喷头内直径的6倍是为保证不产生吸气漩涡,保证喷头恒流量出水;池的设计水深不少于0.15m,保护高度不少于0.1m,是根据实践经验为保证满足配水要求的前提下降低造价提出的可行数据。

6.5.8 本条提出配水池前配水管设计应考虑的条件和因素,避免因配水管设计不合理而导致各配水池分配水量不均,在已投产的冷却塔中发现为数不少的塔存在这方面缺陷。

6.5.9 本条根据实践经验提出防止横流式冷却塔配水池滋生微生物和藻类的措施,过去一些冷却塔的设计中没有考虑此项,给生产运行带来了危害。当配水池设置盖板时,如果水中有易燃易爆气体,又会使易燃易爆气体聚集,在这种情况下,应设置防爆监测点。

6.5.10 横流薄膜式冷却塔宜采用管式配水,其原因是淋水密度较大,一般在$40m^3/(m^2 \cdot h)$左右,相对布水面积较小,要求单喷头出水流量大,低压水头喷水均匀,这些是池式配水及喷头所不能满足的主要因素。冷却塔上塔立管分露天布置和管室布置。露天布置上塔总管位于塔体两端,露天设置在塔顶板上,经顶板穿孔的连通管与支干管或支管连接。管室布置宜用于多格冷却塔,上塔立管分别设置于塔体进风口侧端。管室顶板设置带盖板的检修人孔,使管式配水检修方便。管式配水与池式配水相比,减少了水与空气、阳光、粉尘的接触,避免了菌藻的滋生。

6.5.11 管式配水的支干管在进水端设阀门,有调节水量、水压以及检修切断进水的作用。尾端设置连通管,使干管成为环状管网,起稳压作用。

6.5.12 为防止水管中积存空气造成"气堵"或"水锤",在配水管网上最高点宜有使管网中空气排出的措施,如排气口(管、阀)。为便于管道检修,在管网最低点宜有放空措施,如放空管、阀。另外,还宜有按工程需要选用的设施,如当对系统水压波动大,水中含有可挥发性气体时,应设置稳压管;当有防冰冻要求时,宜设置化冰管;当有调配上塔水量直接进入塔下集水池的要求时,则应设置旁路水管等。

6.5.13 本条是新增内容。上塔阀门易锈蚀失效,导致塔周边长青苔,造成操作人员滑跌受伤。

6.6 收 水 器

6.6.1 本条给出了收水器选择的原则。关于玻璃钢收水器氧指数的规定与国内其他规范一致。

6.6.2 本条是新增内容。收水器的收水效果与收水器片的波形、片距、片高有关。机械通风冷却塔飘滴损失高于自然通风冷却塔,对收水器的收水效果要求更高,本条给出的收水器的漂滴损失水率小于 0.001% 是目前市场上收水效果比较好的收水器的指标。目前,收水器供应商宣传的收水器的收水率普遍较高,而实际并没有如此之高,这里有个评价方法问题,现行行业标准《冷却塔验收测试规程》CECS 118 中,关于飘滴损失水率的测试,是采用试纸法测定飘滴损失水量,然后与进塔水量之比,作为飘滴损失水率,这种方法测定的飘滴损失水率明显偏低。早期,电力系统曾经采用毫米波飘滴测定装置和低温铜棒飘滴测定装置对加装收水器与未安装收水器的自然通风冷却塔内上升气流中夹带的飘滴水进行测试,测试表明,加装了一种弧形收水器后,自然通风冷却塔的除水率可以达到

83%。机械通风冷却塔内的风速远远高于自然通风冷却塔,飘滴损失应该大于自然通风冷却塔,也就是说,机械通风冷却塔的实际收水率可能远远达不到我们的期望值。美国马利公司是采用"滴点动能仪"来测定冷却塔的飘滴损失水。所以设计人员在考量收水器的收水率数据时一定要关注收水率数据是采用什么测试方法得出的。

6.6.3、6.6.4 这两条是根据近年来设计和运行的冷却塔实践经验提出的收水器布置的有效做法。

6.6.5 本条综合冷却塔实践经验及参考国外一些冷却塔公司做法提出了逆流式冷却塔收水器设置的控制条件,收水器顶面以上高度的控制尺寸如图17和图18所示。本次修订将收水器面积与总面积之比由90%改为80%。

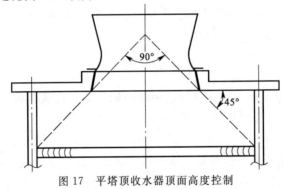

图17 平塔顶收水器顶面高度控制

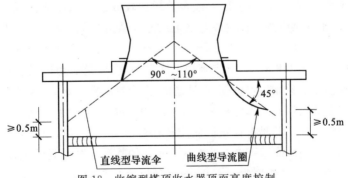

图18 收缩型塔顶收水器顶面高度控制

6.6.6 横流式冷却塔进风口(填料)高度大,填料内风速分布上、中、下相差很大,填料后采用不同阻力值的收水器,可以使上、中、下风速差值减少,接近均匀配风,是目前较为有效和经济的做法。

6.7 风　　筒

6.7.1 本条根据国外、国内一些使用效果较好的冷却塔的风机进口做法,归纳提出了可供选用的方法。风筒进口采用流线型可避免进口涡流,中国水利水电科学研究院的研究结果表明,流线型比直角型风量可提高 18%。

6.7.2 本条规定风筒以风机叶片水平轴线为界,以下称吸入段,以上称扩散段(筒),与通常所指的逆流式冷却塔淋水填料上部至风机入口的"气流收缩段"相区别。

6.7.3 据对国内外冷却塔的统计,并从流体力学的要求考虑,扩散段(筒)中心角最合适的角度为 14°。

6.7.4 本条参考了美国《横流冷却塔性能手册》中有关风筒扩散段的计算公式。

6.7.5 近年来,美国马利冷却塔公司推出的曲线回转型风筒,其扩散段不是直线的圆锥台形,而是扩散角为渐变的曲线绕轴心旋转而成的扩散段(筒),其高度比圆锥台形的风筒矮,造价也有所降低,而回收效率不低于圆锥台形。国内有不少厂家也推出了类似风筒,对于其选用,除控制尺寸、强度、刚度条件外,主要是控制动能回收效率不得降低。

6.7.6 风机叶片尖端至风筒内壁的间隙对风机效率影响较大,间隙过大,则影响风机效率;间隙过小,则安装难度大,运行安全度降低。根据工程应用经验,宜取风机直径的 0.5%。

6.7.7 过去冷却塔风筒采用钢筋混凝土制作,自重大,施工困难,精度、光洁度等难以保证,故而近年来冷却塔的风筒都采用聚酯玻璃钢制作。

6.8 风 机

6.8.1 本条提出了对风机设备及配套产品的选用原则。

6.8.2 本条是新增内容。根据冷却塔的设计风量和计算的全塔总阻力选定风机的运行工况点,该工况点应在风机曲线的高效区,风机在这一点运行时,效率较高。实塔测试时,经常会遇到风机风量达不到设计值的情况,这往往是冷却塔的阻力计算不准确,使得风机不能在高效区工作,达不到设计风量的要求,影响冷却塔的冷却能力。

6.8.3 冷却塔风机集中控制便于管理,但是为了便于对风机设备运行中紧急情况的处理及检修过程中的安全性,还应当在各台风机附近设置就地开停按钮和切断电源的设施。实践证明这些措施是非常必要的。

6.8.4 大型风机的减速器多采用稀油润滑并配有油循环设备,由于油循环设备故障或油路故障将使润滑油不能循环,减速器内油温升高或断油失润造成减速器事故,严重时事故扩大将导致电动机事故。为安全考虑,应当装设油位指示、油温检测及报警装置。

大型风机由于叶片动平衡失调及其他原因造成风机或减速器振动,严重时将影响风机设备和冷却塔结构的安全。设置对振动的检测和防振保护设施就可以避免事故扩大。这些设施一般应在风机订货时注明要求,由风机设备制造厂提供。

目前国内已有对风机减速器油温、油位、振动进行监测或自动控制的成套仪器,同时已有不少大、中型冷却塔成功采用的实例,故本条提出对直径不小于 6.0m 的风机应配有振动检测、报警和防振保护装置;直径小于 6.0m 的风机宜配有振动检测、报警和防振保护装置。

6.8.5 本条是为了便于对风机的安装与检修而提出的,但是冷却塔的实际运行情况表明,有些安装了固定起吊风机的设施,由于长时间不使用而锈蚀,考虑到现在起重设备发展很快,修订时对塔顶

122

是否设起吊风机的设施增加了限定条件。

6.8.6 当进塔风量随季节或热负荷变化较大时,对塔的格数较少的塔群,驱动风机的电机可以采用双速电机,但是应通过对全年典型工况节能技术经济比较后决定,这是由于降低风量虽然可以减少冷却塔电耗,但同时会使出塔水温提高,当水温提高会影响工艺生产能力时,则应对二者的得失综合作比较后而定。另外,低风量运行时间占总运行时间需要达到一定比例才是经济的。对于冷却塔格数较多的系统,可以通过调整冷却塔运行的格数来解决季节或负荷变化的影响,毕竟双速电机的价格偏高。

7 环 境 保 护

本章为新增章节。

7.1 冷却塔消雾

7.1.1 冷却塔在寒冷的环境中运行时,接近饱和的出塔湿热空气与塔外的干冷空气混合,随着温度的降低,湿空气的饱和含湿量减小,湿空气中的水蒸气发生凝结而产生大量的羽雾。本条说明了消雾的理论途径,并指出消雾尚不是冷却塔的必须要求。但由于机械通风冷却塔高度较低,雾团飘散影响了周围居民区及交通道路的可见度,造成下风城区的湿度上升,可能还助推了雾霾的生成;同时一些消雾措施有一定的节水效果,所以冷却塔消雾的需求越来越多。

7.1.2 本条规定了消雾设计点的确定。冷却塔的消雾是一项新的需求,我国在这方面刚刚起步,还没有经验。借鉴美国CTI的《干湿消雾冷却塔验收测试程序》中的规定,在消雾设计点气象条件下,在塔出风口上方 15m 的范围内有少量的可见羽雾,按这种条件设计的称为"少雾型";在消雾设计点气象条件下,在塔出风口上方即使很小范围内也不允许有可见的羽雾,按这种条件设计的称为"零雾型"。由于同一冷却塔既可是"少雾型",也可是"零雾型",只是对应的消雾设计点不同,而判断是否达到"零雾型"更加直观,因此本规范要求均按"零雾型"设计。在以相对湿度和干球温度为纵横坐标的直角坐标系中,对既定设计散热任务和设计气水比,存在一条与进气相对湿度和干球温度相关的、区分是否有可见羽雾的分界曲线,任何在起雾临界曲线之上的气象情况都会引起可见的羽雾,而在起雾临界曲线之下的气象情况则不会有可见的羽雾,故可称为"起雾临界曲线"。在同一张图上,可以画上冷却塔所在地全年每小时的温度/湿度数据点或者仅仅是昼间的数据点,由此,就可以计算出每年中可能产生可见羽雾的小时数百分比(或每年昼间可能产生可见羽雾的小时数百分比),这个百分比就是可见羽雾的发生比例,因此"起雾临界曲线"也称为"起雾频率曲线"。理论上,起雾频率曲线上的任何一点(温度/湿度)都会得出同样的冷却塔设计和同样的可见羽雾发生率。每个消雾设计点对应一条"起雾频率曲线"。

7.1.3 本条规定了消雾的设计点的选择原则。消雾的设计点主要取决于冷却塔的地理位置和现场需求,设计点的选择严重影响到消雾塔的成本。全年无羽雾的要求过于严苛,特别对超低温和高湿地区,是不经济的,一般不推荐。

7.1.4 本条提出了实现消雾的四种技术途径。

1 在冬季运行时,因需冷却的水量较少,可将冷却水平均分配到所有冷却塔中或者设置旁路系统,因改变了气水比,过量的空气使经过填料换热后的热湿空气不再饱和,或者另外将环境空气引入塔内,与经过湿段(包括喷淋雨区、开式冷却塔的填料、闭式冷却塔的填料和盘管区等)换热后的热湿空气混合,使出塔的空气处在不饱和区,混合后的空气状态取决于混合前两种空气的流量比。对图 19 而言,如 OA 与饱和线的交点 M 为出塔空气状态点,相当于 OM 段在塔内完成,MA 段在塔外,所以塔外自然看不到雾,且 OM 与 MA 线段的长度比值即为引入的环境空气与湿热空气的流量比。图 20 是这类可统称为混入空气的消雾塔的示意图。由于有雾段在塔内,雾气团聚可能形成小水滴,并被收水器捕获,还有案例使用丝网除雾器可回收水雾,所以该措施有一定的节水可能性。但该方法所需的空气量很大,在图 20 所示的工况中,引入的环境空气与湿热空气的流量比接近 2.5∶1,大幅度增加了能耗。因此该方法应用在冬夏季冷却水量相差比较悬殊的场合,风机不变,单纯改变冷却水量可适应不同季节的要求,调节比较简

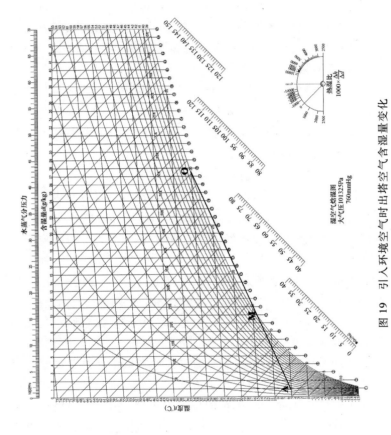

图 19 引入环境空气时出塔空气含湿量变化

单,此时需注意小水量时也要保证淋水的均匀性。如冬夏冷却水量相差不大,只能在出塔前预混大量的环境空气来消雾,此时需注意当气象条件满足出塔空气与环境空气混合不会有雾时,即O点为OA与饱和线的唯一交点时,需及时将引入环境空气的通道关闭,以免无谓的能量损失。

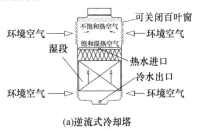

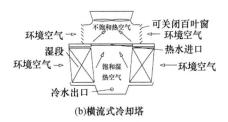

图20　单纯混入空气的消雾塔

2 在环境的干冷空气与来自湿段的湿热空气有较大温差时,还可以在混合前先通过一个间壁式的空气换热器,使湿热空气中的水分部分冷凝回收,其装置示意见图21。在湿空气的焓-含湿量图上看,如图22所示,干冷空气从壁面吸热,温度上升,A点上移至A_1;湿热空气向壁面散热凝结,O点沿饱和线向低湿低温方向下移动至O_1,然后再混合,M点为出塔空气状态点。A点上移和O点沿饱和线下移,都有利于混合点远离饱和线。混合空气出塔后,与环境空气继续混合,即从M点移向A点。因此,只要AM线段与饱和线只有M一个交点,或者AM线段与饱和线相切,或者AM线段与饱和线不相交,在塔外就看不见雾。具体来说,从

A点向饱和线作一切线,切点为P;如线段OA_1与饱和线的交点在P的下方,出塔空气状态点M必须处在该交点至A的线段上,当M就在该交点时所需的干冷空气量最少;如线段OA_1与饱和线的交点在P的上方,则沿长AP与OA_1相交,出塔空气状态点M必须处在该交点至A的线段上,当M就在该交点时所需的干冷空气量最少。需要指出,增加上述间壁式的空气换热器使气侧阻力加大,能耗增加,特别是在不会产生羽雾的季节,如不能移除上述间壁式的空气换热器,它将成为一个无用的耗能部件。

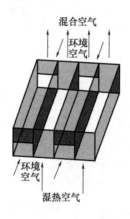

图21 间壁式空气换热器消雾原理

3 该方法是在本条第1款所述方法的基础上,通过加热预混用的环境空气可减少环境空气的引入量。如图23所示,相当于将A点上移至A_1,A_1和O的连线与临界线的交点M仍是出塔空气状态点,此时OM线段变短、MA_1线段变长,在图23所示的工况中,引入的环境空气与湿热空气的流量比减小为0.68∶1。该方法一般将冷却水先经过间壁式换热器加热预混用的环境空气,然后再到填料(或者闭塔的盘管)与湿段进口的另一股环境空气进行热质传递后进一步冷却。两股空气在湿段以外混合后会产生雾气,但至塔出口前消散。塔周边如有废热源,也可利用废热源加热

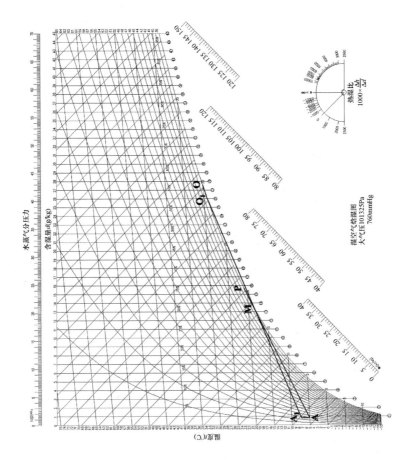

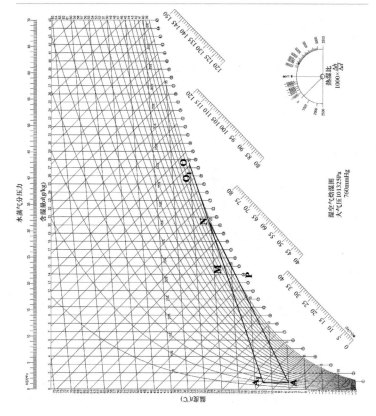

图 22 增加间壁式换热器后出塔空气含湿量变化原理

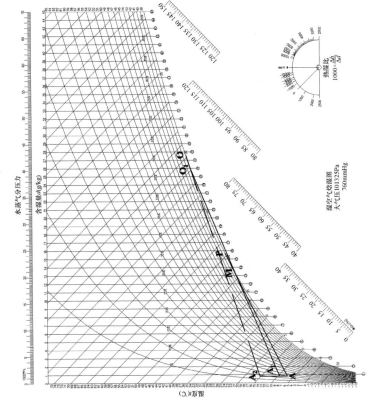

图 23 出塔空气加热预混合湿含量的变化原理

预混用的环境空气。这类消雾塔可叫风路并入的干湿式消雾塔,示意图见图 24。由于塔内水雾可能回收,如用冷却水作为热源,其干段的冷却没有蒸发损失,所以该措施有一定的节水效果,但在水侧和气侧都需要额外的能耗,水侧是增加了干段的管内流阻,气侧是增加了输送预混用环境空气的能耗,该能耗包括要克服干段的管外流阻。同样,当气象条件满足出塔空气与环境空气混合不会有雾时,即环境空气状态到 A_2 位置使 O 点为 OA 与饱和线的唯一交点时,则需将引入环境空气的通道关闭,以免无谓的能量损失。

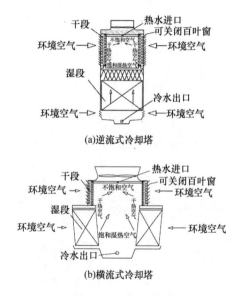

图 24 风路并入的干湿式消雾塔

4 如图 25 所示,通过加热 O 点状态的空气使其至少上移至 O_1,O_1 即为塔的出口状态,A 和 O_1 的连线与临界线相切或者相离,此时出塔的湿热空气与环境空气混合均处在不饱和区,当然就看不到雾。该方法一般将冷却水先经过间壁式换热器(干段)加

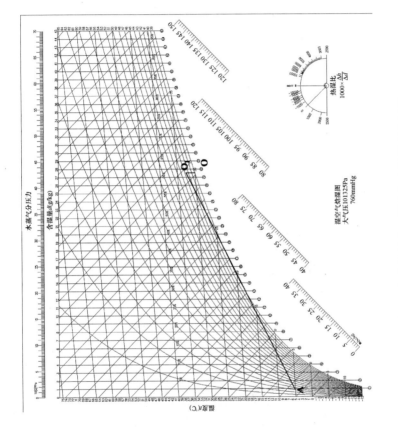

图 25 加热填料出口湿空气含湿量变化原理

热来自湿段出口的湿热空气,然后再到填料(或者在闭塔的盘管内)与湿段进口的环境空气进行热质传递后进一步冷却。塔周边如有废热源,也可利用废热源通过间壁式换热器加热来自湿段出口的湿热空气。这类消雾塔可叫风路串接的干湿式消雾塔,示意图见图26,整个过程中塔内塔外均为零雾状态。如用冷却水作为热源,其干段的冷却没有蒸发损失,所以该措施有一定的节水效果,但在水侧和气侧都需要额外的能耗,水侧是增加了干段的管内流阻,气侧是增加了干段的管外流阻。另外,湿段出口的湿热空气与冷却水进口的温差不大,加热能力受到温差制约,适用于大温差高冷幅的冷却塔。

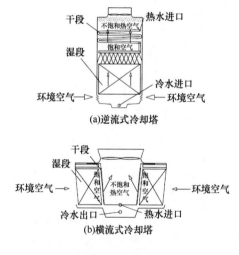

图26 风路串接的干湿式消雾塔

7.1.5 采用电加热等消雾从能源利用上是不合理的,应利用冷却水自身或者塔周边的废热源为冷却塔的消雾提供热量。

7.1.6 消雾型冷却塔可能具有一定的节水效果,不能片面强调消雾、节水作用而忽视冷却塔的主要功能。冷却塔的主要功能是用来降低循环冷却水的温度,任何附加的功能都会影响到冷却塔的效率、能耗等,所以在设计消雾型冷却塔时,应综合考虑冷却塔的冷却效果、能耗,甚至投资等各种因素。

7.2 冷却塔消噪声

7.2.1 本条给出了冷却塔的噪声控制需遵循的标准。

7.2.2 本条要求在冷却塔设计时应根据不同来源噪声的各自特点,首先从源头上降噪,并给出了对应的几种降噪措施。关于冷却塔噪声的来源、声场分布和频带特性,具体说来,有以下四个方面:

(1)空气动力噪声:是机械通风冷却塔的主要噪声源之一,来自于风机,有旋转噪声和涡流噪声两部分组成,其中旋转噪声的基频与叶轮转速以及叶片数成正比,涡流噪声的基频与气流同叶片的相对速度成正比、与气流入射方向的物体厚度成反比。这类噪声以频带宽和中低频突出为特征,低频传播远且不易衰减。

(2)淋水噪声:是逆流式冷却塔的主要噪声源,与淋水密度、水滴降落高度成正比,还与塔内通风速度有关,系以中高频为主的高强度稳态噪声。

(3)机械噪声:电动机、风机及传动部件等旋转机械在转动系统不平衡引起的偏心力周期作用下产生的振动和噪声。

(4)塔体振动产生的二次噪声:动力设备引发固体件振动,振动在基础、壁板中传播时向外辐射的噪声。

7.2.3 冷却塔的消声装置安装的环境潮湿,有些冷却水还具有腐蚀性,因此要求消声装置的材质应抗潮、耐腐蚀。

7.2.4 一般吸声类措施的降噪效果在 15 dB(A)～20dB(A),水面上消淋水噪声的降噪效果在 6 dB(A)～10dB(A)。当采取消声类的措施不能满足敏感点的噪声要求时,只能通过在冷却塔与控制点间设置组合式隔声屏障,隔声类措施的降噪效果在 10 dB(A)～15dB(A)。

135

附录 A 横流式冷却塔冷却数中心差分近似计算法

本附录给出了横流式冷却塔冷却数计算的差分法计算公式,该方法由 Poppe,M·K 提出,在德文及日文文献中均有介绍。另外,差分法计算公式还有中国水利水电科学院冷却水所推荐的公式以及《中小型冷却塔设计与计算》(有色冶金设计总院,1965 年)一书中介绍的公式,这三种差分基本公式是一样的,边界条件也相同,主要是计算推动焓差 $h''-h$ 的公式不同,如图 27 所示。不同方法的焓差 $h''-h$ 如下。

《中小型冷却塔设计与计算》(有色冶金设计总院,1965 年)一书中的公式:

$$h''-h = h''_{AB} - h_{AC}$$

中国水利水电科学研究院推荐的公式:

$$h''-h = (h''_C + h''_D - h_C - h_D)/2$$

Poppe,M·K 提出的公式,也称中心差分法:

$$h''-h = (h''_A + h''_B + h''_C + h''_D - h_A - h_B - h_C - h_D)/4$$

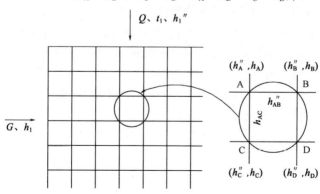

图 27 差分计算图

《冷却塔验收测试规程》CECS 118 编制组曾选择不同尺寸以及不同进塔参数值,由以上三种差分方法及修正系数法进行了计算,当分割尺寸取 0.02m×0.02m 时,三种差分法如取小数点后两位有效数字,则冷却数完全相同,修正系数法与中心差分法比较,差值一般不超过 1%,有 1 组误差为 1.3%。当分割尺寸为 0.5m×0.5m 时,与分割为 0.02m×0.02m 的计算结果相比,误差一般不超过 1%,有 1 组达到 1.1%。以《中小型冷却塔设计计算》一书差分法计算出的冷却数与上述分割法相比,有两组误差在 1.5%以上,有 3 组在 2%以上。中国水利水电科学研究院推荐公式计算结果,有 4 组误差在 1.0%以上,而且由于分割不尽,计算结果会出现跳跃现象,所以推荐 Poppe,M·K 提出的中心差分法,修正系数法也有较高的精度。

附录 B 逆流式冷却塔塔体阻力系数计算方法

逆流式冷却塔塔体阻力计算一般是参考通风工程的计算方法，分步将各个部位的阻力计算出来以后，再迭加求出总阻力，在实践过程中，人们已认识到此法计算得到的总阻力往往比实际值低。究其原因，一般都认为是由于冷却塔中各阻力部位相距很近，相互干扰所致，而此干扰大小目前还没有理论方法可以计算，故而业界认为，冷却塔的阻力是无法采用分步计算法来解决的。但是，通过分析以往冷却塔的设计与实测资料发现，造成计算的总阻力实际值低的原因，还因为计算方法存在"漏洞"，而这些"漏洞"是可以通过改进计算方法得到解决的，现分述如下：

(1)在冷却塔中空气通过填料换热，使出填料的空气温度上升、密度下降，由于通过冷却塔的质量风量(以干空气计)不变，故填料后方体积风量变大，对同一断面的风速也变大，其变化比值为 $\frac{\rho_{1d}}{\rho_{2d}}$，此比值从实塔测试资料看，有的可高达 1.082，而湿空气密度变化比值 $\frac{\rho_2}{\rho_1}$ 可达 0.941，在阻力计算式 $\Delta P = \frac{1}{2}\rho_v{}^2$ 中，ΔP 的变化 $\frac{\Delta P_2}{\Delta P_1} = \frac{\rho_2}{\rho_1} \times (\frac{\rho_{1d}}{\rho_{2d}})^2 = 0.941 \times 1.082^2 = 1.102$，过去一些资料介绍均不考虑体积风量的变化因素，造成冷却塔填料后方各阻力计算值偏低，偏低值约为 10%。

(2)还有些人在计算空气流速时不考虑体积风量变化，即流速 v 的变化比值，取为 1.0，而对 $\frac{\rho_2}{\rho_1}$ 取用 0.98，结果形成 $\frac{\Delta P_2}{\Delta P_1} = 0.98 \times 1.0^2 = 0.98$，而实际的比值应为 1.102，导致更大误差，使

· 138 ·

计算值偏低达 12%。

从以上分析可以看出,本规范提出的计算方法,可纠正因计算方法不妥造成的偏低误差达 10%～12%。